Boeken van Kuki Gallmann bij Meulenhoff

Ik droomde van Afrika. Autobiografische roman
Afrikaanse nachten. Verhalen
Nacht van de leeuwen. Verhalen
Olifanten in mijn boomgaard. Autobiografische roman

Kuki Gallmann

Olifanten
in mijn boomgaard

Uit het Italiaans vertaald door Minne G. de Boer

Meulenhoff Amsterdam

Voor een verklarende woordenlijst zie blz. 219

De vertaler dankt Ineke Zwaal voor haar bijdrage aan de vertaling, met name voor de vertaling van de recepten in de appendix.

Oorspronkelijke titel *Elefanti in giardino*
Copyright © 2001 Kuki Gallmann en Arnoldo Mondadori Editore S.P.A., Milaan
Copyright Nederlandse vertaling © 2002 Minne G. de Boer en J.M. Meulenhoff bv, Amsterdam
Omslagafbeelding © Corbis/Grazia Neri, art-director Giacomo Callo; vormgeving Nadia Morelli
Foto achterzijde omslag Chris van Houts
Vormgeving omslag en binnenwerk Zeno

www.meulenhoff.nl
ISBN 90 290 7161 3 / NUR 302

Voor oma, voor mijn moeder, voor Sveva en
voor de vrouwen uit mijn familie.

Wees stil, mijn hart, deze grote bomen
zijn gedichten.

RABINDRANATH TAGORE,
Bengaals dichter

INHOUD

INLEIDING

Wat hier volgt is het verhaal van een leven dat zich in Afrika heeft af-gespeeld, en van zijn verre Italiaanse oorsprong; het thema van het voedsel, vaak in de ruige natuur gevonden of in de herinnering opge-komen op het moment dat onze smaakzin zich ontwikkelde, vormt de rode draad, het motief dat door deze bladzijden loopt.

Mijn herinneringen aan de oorlog, de warmte van het gezin waarin ik opgroeide, het verlies van mijn geliefden, de aanwezigheid van die-ren, het zingen van de vogels, generaties honden, beminde en trouwe metgezellen van mijn levensdagen, maken er allemaal deel van uit; en de olifanten die 's nachts in mijn tuin komen en de kuddes zebra's, de leeuwen, die ik onder het schrijven enkele meters van mij af in het struikgewas hoor brullen, vormen een onzichtbare aanwezigheid, die toch werkelijker is dan als we ze direct zouden zien.

Dit is de ware geschiedenis van de plaatsen en de mensen en de le-vende natuur die mij omringt, die ik zie, ruik, hoor en proef.

Het is ook, althans gedeeltelijk, het verhaal van ons voedsel, hoe wij het vonden en klaarmaakten en aten, en van de poëzie van de woeste, onbewoonde plaatsen, en van diegenen met wie ik vele uren doorbreng: Simon Itot en Muniete, Patrick en de oude Lauren, die mij de paddestoelen brengt die op de termietenheuvels groeien, dege-nen die er nu niet meer zijn, maar die hun plaats in mijn leven had-den, mijn Pokot-vrienden, mijn familie van nu en vroeger, Sveva en Aidan.

De plicht om de trotse natuur van Afrika te beschermen, het respect voor de vruchten der aarde, en de smaak van dromen.

Kuki Gallmann
Laikipia, Kenia, mei 2001

IKO NDOFU KWA SHAMBA

Een dof geluid als een donderslag overstemt het gekrijs van de nacht-vogels, het koor van de boomkikkers en het concert van de spreeu-wen, gek geworden in deze nacht met volle maan; het klinkt machti-ger dan de verre roep van een hyena, dan het neervallen van rotsblok-ken die door de galopperende buffels verplaatst worden als ze weg-rennen om te gaan drinken bij de *menanda* van Kuti.

Ik leg mijn pen neer, en luister. Ik weet wat dit betekent.

Plotseling en machtig onderbreekt een salvo van getrompetter de nacht, de kikvorsen verstommen en ik hoor het zware stampen van de laarzen van de oude Lauren, die naar me toe komt rennen. Ik sta al overeind, grijp mijn fakkel en het geweer met hagel.

'Mama,' Lauren klopt op mijn raam. '*Mama, iko ndofu kwa sham-ba.*' Daar zijn ze weer, de olifanten in de tuin.

Een geweersalvo in de lucht is – zoals ik lang geleden geleerd heb – de snelste manier om ze op de vlucht te jagen.

Ik volg ze in de nacht, en bedenk opnieuw dat ik wel erg ver van Italië ben.

DEEL I

I

EEN ANDERE WERELD

Er is geen oprechter liefde dan liefde
voor eten.

GEORGE BERNARD SHAW, *Mensch en oppermensch*

Ik ben in juni 1943 in Italië geboren tijdens de Tweede Wereldoorlog.
Een tijd toen er nog geen televisie was, toen men het belangrijk vond
om gesprekken te voeren, toen het lezen van gedichten en van de klas-
sieken een normale bezigheid was en toen onze familie zich tweemaal
per dag rond de patriarchale tafel van mijn oma van moederskant
verzamelde, om met haast religieuze aandacht heerlijke, overvloedige
maaltijden te nuttigen van zelfgemaakte producten van eigen bodem.

Ik ben opgegroeid in een wereld van vrouwen en oudere mannen. De
jongeren, met inbegrip van mijn vader, vochten allemaal in de oorlog.
Aangezien wij op het platteland woonden, in een groot wanordelijk
huis vol oudtantes en oudooms, met mijn jonge moeder en haar zussen, gingen de uren voorbij in het trage ritme van vroeger tijden.

Het ontbijt werd opgediend op grote dienbladen, bedekt met
kleedjes omzoomd met gehaakte kant, die door een dienstmeisje naar
onze kamers gebracht werden; we bleven in bed liggen terwijl de luiken wijd opengegooid werden en een gele zon binnenlieten – en onze
oogleden knipperden in het schijnsel – of een ijskoude mistflard die
snel oploste.

Meestal was het een kom warme koffie, met in plaats van echte koffie geroosterde cichorei uit ons eigen land, misschien heel wat gezon-
der dan echte koffie, opgediend in enorme kommen met overvloedig
melk, met abrikozen-, pruimen- of kersenjam, boter die vers van de
boerderij kwam, brood dat nog geurde naar de oven en anijskoekjes.

Het middagmaal werd stipt om half een opgediend.

Het werd voorafgegaan door een wolk van heerlijke geuren die overal doordrongen, en in de kamers bleven hangen als een onzichtbare maar absoluut werkelijke aanwezigheid. Daarna volgde er in de halfdonkere kamers een lome siësta, waar ik een hekel aan had, totdat in de late namiddag oma's vriendinnen haar kwamen opzoeken.

In mijn kamer drukte ik mijn hoofd in het witlinnen kussen, dat nog geborduurd was door overgrootmoeders die al jaren dood waren, en ik zag hoe licht en schaduw een fata morgana dansten op het plafond, net als een zwartwitte filmversie van het leven op de landweg onder de ramen van mijn slaapkamer.

Takken bewogen ternauwernood, menselijke gestalten verschenen, kruisten elkaar en verdwenen, af en toe reed er een fiets boven mij tussen het crèmekleurige stucwerk en de onbeweeglijke kroonluchters, en in die drukkende zomermiddagen keek ik gefascineerd naar die hele wereld die zich onbewust boven mijn ogen afspeelde, de eerste film van mijn leven.

Na de siësta verving oma haar mantelpakje van de ochtend door een middagjapon van bleek lila of grijsblauwe zijde, haar lievelingskleuren. Een vleugje roze poeder op haar neus en een zweempje rouge op haar wangen gaven kleur aan haar bleke gezicht, haar lippen waren aangezet met een beetje lipstick, haar haar was gewikkeld in een zacht knotje, in haar nek bijeengehouden door een doorschijnend sjaaltje, dat haar slanke hals goed deed uitkomen.

Haar vriendinnen namen plaats in een salon met kanten gordijnen voor de ramen of, in het mooie seizoen, buiten in de tuin, onder een tak van de immense majestueuze ceders van de Libanon, indrukwekkende bomen waarin ik al vroeg had leren klimmen, zodat ik verborgen achter de toefjes zilveren naalden als een vogel op de tak hun gesprekken kon afluisteren zonder zelf gezien te worden.

Ze praatten over van alles en nog wat, spraken elkaar aan met 'u', noemden elkaar mevrouw Maria en mevrouw Elena en, terwijl ze het kanten voiletje optilden, dat hun hoedjes sierde en over hun ogen hing, namen ze slokjes bleke thee met citroen, knabbelden aan amandelkoekjes die ze vasthielden met hun bekoorlijke vingers, bedekt met blauwe aders en oude ringen.

Als de dames vertrokken, werd de salon opgeëist door opa, de oud-ooms en hun vrienden. Delicate aroma's van parmaviooltjes, van vanille en van het Fracas-parfum dat oma gebruikte, werden vervangen door de geur van pijptabak en van vooroorlogse Punt & Mes, gemengd met de opvallende lavendelgeuren van de eau de cologne van Jean Marie Farina, waar opa een voorliefde voor had.

Dan ging het gesprek over de oorlog, de politiek, de bombardementen, de mensen die naar Duitsland naar de concentratiekampen gestuurd werden en die niet meer terug zouden komen, verwoeste gezinnen en verloren vrienden.

Fluisterend vroegen ze naar mijn vader, die zich bij de partizanen had aangesloten om een boycotactie tegen de Duitsers te leiden, en die ze in een mistige nacht achter de vijandelijke linies geparachuteerd hadden.

Het bericht was als een lopend vuurtje door het dorp gegaan, en angst was in ons leven binnengedrongen, als een onzichtbare dodelijke rook. Steelse blikken naar elkaar, toespelingen, bedreigingen verbraken de ogenschijnlijk kalme oppervlakte van onze levens.

De schandelijke, gruwelijke vervolging van de joden had loyaliteitsconflicten geschapen, en de grote verschillen in stellingnames en morele keuzes had vaak voor een onoverkomelijke breuk gezorgd tussen Italianen, en onvermijdelijk geleid tot de burgeroorlog.

Broers doodden broers; misdadigers van allerlei allooi hadden het voor het zeggen; onder het mom van vaderlandsliefde werden allerlei gruwelen en geweldaden verricht. Het was een duistere bladzij in de geschiedenis van Italië.

Mijn vader had zijn keus gemaakt.

Mijn moeder werd gewaarschuwd door de koeriers die in die dagen duizenden levens redden en er vaak hun eigen leven bij inschoten: zij en ik waren de eersten die in aanmerking kwamen als gijzelaars. Ze had plannen gemaakt om te vluchten en met mij onder te duiken zodra ze een seintje zou krijgen.

Ik heb een vage herinnering, verward als in een droom, aan een vroege middag toen ik misschien twee was en het eind van de oorlog naderde, met al die gruwelijke wraakoefeningen van het laatste ogenblik.

In de halfdonkere bibliotheek hadden de volwassenen zich in stilte verzameld.

Ik zat bij mijn moeder op schoot. Uit de manier waarop ze me beschermend vasthield en me stevig tegen zich aandrukte, uit de ernstige uitdrukking op alle gezichten, begreep ik dat er iets ongewoons aan de hand was, iets wat niet in orde was.

De houten luiken waren gesloten, en door de kieren drongen tegelijk met een streepje zonlicht boze stemmen door in de stille kamer. Iedereen hield zijn adem in.

Ik zocht nieuwsgierig met mijn dikke vingertjes in een laatje van het bureau, vergat de gespannen sfeer in de kamer en verwondde mijn vinger met het mesje van een puntenslijper; een piepklein druppeltje van het eerste bloed dat ik ooit gezien had sijpelde rood over mijn vingerkootje, en ik zette het op een brullen, meer van verrassing dan uit angst: een dozijn handen strekte zich naar mijn open mond, om het huilen te onderdrukken, en door de dringende ernst van hun gebaar werd ik op slag stil, en tegelijk grifte ik deze herinnering voorgoed in mijn geheugen.

Lang daarna hoorde ik dat een bende fascisten van de beweging X Mas een jongen die bij de partizanen gegaan was, met een vleeshaak aan ons smeedijzeren hek had opgehangen, bij wijze van waarschuwing voor wat er met verraders zou gebeuren.

Mijn moeder kreeg geen toestemming om naar hem toe te gaan, en pas de volgende ochtend bij het krieken van de dag, toen hij eindelijk dood was, konden zij en haar zussen zijn lichaam in een deken wikkelen en het wegbrengen om het heimelijk te begraven in een kuil op het land.

II

HOE WIJ WAREN

Ik hoorde toen uit het pasgemaaide hooi
het eeuwige getjilp der krekels,
ik hoorde, van de kikkers in de sloten,
een altoos durend gedicht
GIOVANNI PASCOLI, *Romagna*

Mijn vader was door de fascisten van Salò opgepakt en pas na enkele
maanden was hij erin geslaagd om te ontsnappen. Een koerier had
een fietstocht van meer dan honderd kilometer gemaakt om mijn
moeder te waarschuwen, en het plan dat al lang geleden opgesteld
was, was in werking getreden.

Ik bewaar een herinnering aan volwassenen die in een maanloze
nacht heen en weer renden, aan mijn moeder die mij, geholpen door
een dienstmeisje, op haar arm draagt, tegelijk met een bundeltje kleren, en aan hoe onze lichamen over een heg naar beneden sprongen –
vochtige bladeren in ons gezicht – en we dan door een bos renden –
de geur van pijnboomnaalden – om tenslotte via een achterdeur de
veiligheid en het licht van een klooster te bereiken, waar behulpzame
nonnen ons asiel verleenden.

Het kan tijdens het carnaval geweest zijn. Een vage herinnering aan
maskers, kostuums, opvoeringen op school, liederen en koren, vanille
op koeken en de onbekende smaak van een heerlijke soep met kleine
deegringetjes. Wij bleven daar enkele dagen, in een andere wereld,
veilig en beschermd, en ik kan me alleen maar een vage voorstelling
vormen van mijn moeders onzekerheid, haar ongerustheid, haar be-
zorgdheid voor mijn vader, van wie ze niets gehoord had.

De volgende dag kwamen ze bij ons thuis om ons te arresteren,
maar ze vonden ons niet. In onze plaats namen ze mijn opa mee, om
hem te ondervragen. Maar hij wist niet veel, de oorlog liep ten einde

en ze wilden niet nog een misdaad riskeren. Ze lieten hem gaan, en na een poosje kwamen ook wij weer terug.

De avondmaaltijd in Crespano del Grappa – precies om acht uur – was altijd iets bijzonders, en de gasten maakten de dienst uit, ook in die treurige, magere dagen, want ons zelfgemaakte eten was beroemd en mijn grootouders waren gastvrij.

In dat huis was ik het enige kind: kinderen waren een zegen en een afleiding in die onzekere tijd, en van jongs af aan at ik altijd met de volwassenen mee. Ik ging rechts van opa zitten, die persoonlijk mijn vlees in kleine hapjes sneed, de beste stukken voor me uitzocht, en met vriendelijke, liefdevol glanzende ogen toekeek terwijl ik at.

Ik herinner me een avond voor het eten, vlak na de vlucht van mijn vader, die erin geslaagd was om behouden in Rome aan te komen. De hele familie had zich verzameld rondom een ouderwetse purperkleurige radio. Vlak na de bevrijding werden er teruggekeerde soldaten en verzetshelden geïnterviewd.

De mannenstem klonk jong, welsprekend en vermoeid.

'Moet je horen, dat is papa!' zeiden ze trots tegen mij, en ze lachten.

Ik viel in slaap achter mijn hardgekookte ei, zonder dat ik het begrepen had.

Voor mijn vijfde verjaardag kreeg ik een poppenhuisje dat opa's timmerman gemaakt had onder een paar pijnbomen in de tuin, met witgeschilderde muren en een rood dak. Die timmerman heette Sisto, hij was de zesde zoon van een boerenfamilie uit de buurt, en net als Alexander de Grote had hij één bruin en één felblauw oog.

Mijn poppenhuis had een boekenplank tegen de achterwand en een vierkante tafel met maar één stoel, want ik had geen speelkameraadjes van mijn eigen leeftijd.

Ik was niet geïnteresseerd in poppen, en al gauw veranderde ik mijn poppenhuis, tot vermaak van de volwassenen, in een bar.

We wasten een dozijn flessen van de Recoaro-sinas af en plakten er nieuwe etiketten op, met blauwe randen waarop tante Vittoria voor mij met rode inkt de namen van de likeuren en bittertjes schreef die ik met haar hulp had overgegoten uit de flessen van ons barmeubel.

Een stel glaasjes, een oude Russische samowar vol ijswater en een karaf met limonade voltooiden de inrichting, en ik serveerde trots mijn aperitieven aan de volwassenen, met de hazelnoten die ik geplukt had in de heggen op het land, en geroosterd op het rokerige houtfornuis in de keuken.

Het was een geheimzinnige wereld, die mij fascineerde.

Hoewel het praktisch onmogelijk was levensmiddelen te kopen en het eten op de bon was, hadden wij, in tegenstelling tot de ongelukkigen die in de stad gebleven waren, een aardige verscheidenheid van zelfgemaakt eten.

In de grote tuin bevond zich een moestuin met bessen- en frambozenstruiken, twee rijen appelbomen en een boom met stoofperen en verder kersen, perziken, abrikozen, vijgen en pruimen. Er was ook een heel overdadige pergola met een zeldzame variëteit pitloze druiven, die een verfijnde en heel zoete smaak had en die ik daarna nooit meer ben tegengekomen. In het Venetiaanse dialect noemden ze het *uva zebiba*, een naam van Arabische herkomst, die sultanarozijnen betekende, hier gebracht door Venetiaanse kooplieden die zich op de zeeën van het Midden-Oosten gewaagd hadden.

Er was een moestuin waarin alles groeide waaraan wij behoefte hadden en zelfs nog meer.

O, die zoete, sappige smaak van de pasgerooide worteltjes, waar de aarde nog aanzat, en die we buiten onder de kraan schoonwasten, en die tomaten, lauwwarm van de zon, die je zo in de mond uitkneep met gouden pitjes en al!

Een paar zwartbonte melkkoeien huisden in een stal die onder een hooiberg gebouwd was, waar ik graag stiekem bovenop klom om me er te verstoppen en wat te dromen; een kippenhok vol sneeuwwitte kippen leverde ons de eieren en gevogelte, en een duiventil onder de daken, van waaruit je het voortdurende gekoer van de duiven kon horen, leverde ons paté en gebraad. Omdat het aantal huisdieren dat we nodig hadden in werkelijkheid beperkt was, sloot ik tenslotte vriendschap met al de varkens, heel intelligente en komische dieren, waarvan we er nooit meer dan vier of vijf tegelijk hielden. En dus, als het herfst werd – en de slager kwam voor de luganegaworsten en de salami en de soppressavarkensworst – werd ik weggestuurd om lange wandelingen tot aan de bergstroom de Astego te maken, met Lidia en een twaalfuurtje van brood en frambozenjam, om me het slachten met al zijn enge details te besparen.

Ik hield van die wandelingen, en was dol op de voorbereidselen. We vulden een mandje met broodjes en bramensiroop en gingen op weg, en ik huppelde vrolijk langs de stoffige straat, langs de rijen Italiaanse populieren, totdat we een paadje vonden, haast verborgen onder de dichte kornoeljes, hazelnoten en muizendoorns. Niets ontging mijn aandachtige, nieuwsgierige ogen: de wereld van alles wat groeide en wat er in het weelderige bos op de grond lag – afgevallen noten, glimmende kastanjes waarvan de gezwollen groene bolster gebarsten was, groepjes cyclamen en verse paddestoelen – werd mij vertrouwd omdat het zich precies op de hoogte van mijn ogen bevond, terwijl beneden de paadjes liepen waarlangs je snel bij de Astego kon komen.

Een wereld die nu voorbij is, ergens in mijn geheugen opgeborgen op een plek die ik bewaar voor dromen en indrukken van heel vroeger, die nu nog net zo levendig zijn als toen, die in flitsen terugkeren en op gezette tijden uit mijn geheugen opduiken, door wie weet wat voor gedachtenassociatie.

Daar zijn momenten uit die lange maaltijden bij, in een warm licht en op altijd smetteloos witte tafelkleden, met het zilveren San Marcobestek met schelpvormen afgezet waar je de lagune in proeft en glazen uit de glasblazerijen van Murano, doorschijnend, zodat je de topaas- of robijnachtige kleur kon zien en bewonderen.

In onze familie van ervaren smulpapen had men respect voor het eten en nam men het aandachtig tot zich; en iedere keer gaf men met kennis van zaken commentaar op smaak en bereidingswijze.

Daardoor ben ik zolang ik me het kan herinneren altijd geïnteresseerd geweest in voedsel.

Zittend op een rieten stoel bracht ik uren door in opa's keuken en keek naar de keukenmeid; en moeiteloos pikte ik uit de eerste hand de verfijnde kooktechnieken op, die ik nooit uit boeken had kunnen leren.

Hoe kun je een kip van zijn ingewanden ontdoen; hoe kun je handig een massa aardappelpuree veranderen in zachte gnocchi met fijne motiefjes; of verse melk in dotten ricotta; suiker, amandelen en azijn in een krokant strooisel; en een fontein van bloem en eieren in zachte reepjes tagliatelle precies in de tijd die het water nodig heeft om aan de kook te raken: lange uren uit mijn kinderjaren gingen voorbij terwijl ik gretig de wonderbaarlijke toverkunsten gadesloeg waarmee simpele ingrediënten veranderd konden worden in gastronomische meesterwerken. Ik hoefde alleen maar te kijken hoe Elda het deed en ik wist het voorgoed.

Het was in die tijd in Italië ondenkbaar, afgezien nog van de aanwezigheid van huishoudelijke hulp, dat een meisje niet in staat was om op perfecte wijze de traditionele spijzen te koken van de streek waar ze opgegroeid was. In mijn geval was dat de Veneto.

Toen ik wat groter werd stelde mijn moeder voor dat mijn jongere zus en ik voor het koken zouden zorgen, wat inhield dat we complete menu's opstelden, ze zelf klaarmaakten en ze op donderdagavond, wanneer we meestal gasten hadden, opdienden. Niemand mocht ons helpen en omdat Barbara van toetjes hield en ik niet, besloten we al gauw onze taken te verdelen: ik kookte voor- en hoofdgerecht en zij verrukkelijke desserts waarvan het water je in de mond liep.

Toen was het nog niet gebruikelijk om meubels of kookboeken te kopen: meubels werden van de vorige generaties geërfd, en recepten werden mondeling overgeleverd, bij wijze van familietraditie: je hoefde ze dus niet te lezen.

Om inspiratie op te doen en ter wille van de variatie gebruikten we daarom het enige kookboek dat we tot onze beschikking hadden: een oude gebonden kopie van de *Talisman van het geluk*, een stevig boek uit de negentiende eeuw dat nog van onze overgrootmoeder was geweest. In de pentekeningen werd alle mogelijke keukengereedschap gepresenteerd, ingewikkelde bakvormen, kookgerei van allerlei aard en runderen die in enorme kwarten verdeeld waren. Er stonden zelfs instructies bij hoe je ze moest slachten, in hoeveelheden die ook voor onze naoorlogse kinderjaren absurd waren, uit een tijd waarin de vrouw de scepter zwaaide in huis, de families enorm groot waren, eten belangrijk was, en koken een ingewikkelde en gerespecteerde kunst, 'het geheim van het Geluk'.

'Neem twee dozijn eieren, twee liter room, een kilo geraspte par-

mezaanse kaas of fontina uit de Valle d'Aosta, en een kilo witte truf-
fels…' verordende een van die recepten, en we werden meegevoerd in
een wereld van glanzende koperen pannen en van hammen die in een
rij hingen tezamen met guirlandes knoflook en paprika's in de onderaardse keukens van de grandioze villa's uit het verleden.

Ik hield van magie en creativiteit, de kunst om heerlijke gerechten te
maken voor degenen van wie ik hield, en ik heb koken altijd gezien als
een nobele kunst, net als beeldhouwen of muziek maken, ter verheer-
lijking en ter ere van de buitengewone vruchten van de Aarde.

III

ZE KON TOVEREN,
TER HERINNERING AAN MIJN OMA

... de avond valt in de oude tuin
van jouw huis, en in mijn vriendenhart
daalt de herinnering, en ik zie je weer.
GUIDO GOZZANO, *Juffrouw Felicita*

Mijn oma deed aan spiritisme.

In onze familie wist iedereen dat, maar niemand hechtte er erg veel betekenis aan.

Toen ze nog een kind was – ging het verhaal – hield ze op het slaperige middaguur, als de volwassenen in hun dagelijkse dutje verzonken waren, in het halfdonker van de bibliotheek spiritistische seances met haar broertje en haar neefjes en nichtjes. Haar voorspellingen waren altijd onverwacht en merkwaardig nauwkeurig; de massieve notenhouten tafel kraakte, trilde en schommelde, een paar centimeter boven de grond, en als zij opstond, kaarsrecht en kalm in haar piqué schort en met haar lange grijze kousen aan, zweefde de tafel achter haar aan.

Haar hele leven lang ging zij, als ze iets heel graag wilde, ergens alleen zitten, concentreerde zich op een stukje wit papier of een witte lap en tekende langzaam met de nagel van haar duim kruisjes, steeds op dezelfde plek. Deze merkwaardige bezigheid noemde ze in het Venetiaans *far crosete*.

Zo intens was haar kracht dat ze in staat geacht werd kleine voorwerpen van de ene plek in de kamer naar de andere te verplaatsen, en zelfs om de auto van opa tot stilstand te brengen, want toen ze pas getrouwd waren ging hij af en toe uit met zijn vrienden en dan liet hij haar thuis, wat ze niet leuk vond.

Dan stopte de auto plotseling als hij over een brug reed of een landweggetje insloeg, alsof er van bovenaf een zware onzichtbare hand op neergedaald was.

Een paar uur later, als ze wist dat opa's avond verpest was, maakte ze kruisjes achterstevoren om de betovering te verbreken: de grote hand verhief zich en de auto reed er met een sprong vandoor, even geheimzinnig als hij daarvoor was blijven stilstaan.

De volgende ochtend, als haar man berouwvol aan de deur van haar boudoir klopte, terwijl zij aan haar toilettafeltje met het marmeren blad zat, ontving ze hem rustig, met een steels lachje, en ze streek wel honderd keer met haar varkensharen borstel met zilveren steel over haar dikke kastanjebruine haar, dat tot aan haar taille reikte. Ze was mooi en raadselachtig in haar lange met kant afgezette negligé.

Later riep ik vaak haar hulp in, vlak voor een examen of een overhoring voor wiskunde, een vak dat ik haatte. Ik ging haar opzoeken en zij nam mijn kleine hand in haar grote handen, draaide hem om en maakte langzaam met haar duimnagel kruisjes in mijn handpalm. Soms deed ze een van haar ringen af en schoof die om mijn rechterwijsvinger, en dan zei ze langs neus en lippen: 'Je haalt het wel. Wees maar niet ongerust.'

Ik geloofde haar, en dat gaf me zoveel zekerheid dat het examen meestal goed afliep.

Met dezelfde, haast afwezige stem zei ze 'het gaat wel over' als ze een probeem met mijn huid verhielp, een puistje of een wratje, door een kruisje te maken op de plek die genezen moest worden. En op een ochtend, een paar dagen later, werd ik dan wakker en merkte ineens – met een leeg gevoel in mijn maag, zoals altijd als er iets onverklaarbaars gebeurde – dat mijn huid weer gaaf was, alsof het puistje er nooit gezeten had.

Deze gave was echter in strijd met haar katholieke geloof, dat maakte dat ze zelfs wel tweemaal per dag naar de kerk ging, in weer en wind.

Ik zag hoe ze de deur uit ging, altijd onberispelijk gekleed, met haar bleke huid 's zomers beschermd door een wit geborduurd parasolletje, en 's winters door bontmutsen met een voiletje. En ik vergezelde haar als kind op lenteavonden, wanneer er een roze gloed bleef hangen op de rode dakpannen en de eerste zwaluwen de lucht vulden met hun gekwetter.

Ik knielde naast haar in de kerk, vol kaarsen en wierook, gewiegd door de Latijnse litanieën, betoverd door de duizenden lichtjes, en ik voegde mijn stemmetje bij de stemmen van het koor, en antwoordde eindeloos vaak 'ora pro nobis' als de rozenkrans dat vereiste: een christelijke mantra.

In de loop van haar leven had oma vaak voorgevoelens en dan wist ze van tevoren wat er zou gebeuren.

Ik vroeg me vaak af of deze gave haar verbaasde of als een vloek gevoeld werd. Ze had haar eigen dood voorzien, en zei vaak rustig, zonder ook maar een vleugje melancholie, dat ze op haar achtenzeventigste zou sterven aan een aneurysma in haar hersenen, net zoals haar moeder en haar oma voor haar.

Zo ging het dan ook, en toen mijn moeder diepbedroefd toesnelde om haar te zien, kwam er uit de kamer waar haar lichaam lag een intense geur van gardenia's en een bovennatuurlijk licht, oranje en paars als een zonsondergang in noordelijke streken.

Ik was met vakantie toen ze stierf.

In die tijd staken mijn eerste man, Mario, en ik, tijdens de korte drukkende Europese zomer, net als altijd in een boot de Adriatische Zee over, tot aan Joegoslavië, waar de garnalen zo vers waren dat je ze nog in hun schaal kon bakken en opeten, en de spinkrab, die in diep water leeft – eenvoudig opgediend met citroen, olijfolie en versgemalen peper – ongeëvenaard van smaak was. We hielden ervan om in de openlucht te zitten of in de zon en aan de zee.

Toen we in Venetië aan land gingen en op de parkeerplaats op zoek gingen naar onze auto, zag ik al uit de verte dat er een wit velletje papier onder de ruitenwisser geschoven was.

Ik bleef ineens staan, als door de bliksem getroffen, in een plotselinge, ongewenste zekerheid.

'Dat is oma,' zei ik tegen de stomverbaasde Mario. 'Ze is dood. Dat staat op dat briefje.'

En het was waar.

'Lieve Kuki' stond er in het regelmatige handschrift van mijn moeder, 'misschien heeft een van mijn boodschappen je al bereikt en weet je het al van oma...'

Toen wist ik al dat ik, tenminste gedeeltelijk, haar zienersgaven had geërfd.

27

Net als bij haar was die gave ook bij mij sterker geweest in de vroege jeugd, om af en toe weer terug te komen in de loop van mijn leven en mij iets tragisch te onthullen, dat gebeurd was, voordat ik het fysiek gezien nog had kunnen weten.

Ze had op mij ook een zeker vermogen overgedragen om met mijn handen te genezen, om reuk- en lichtverschijnselen teweeg te brengen, en ja, af en toe kwam er ook een tafeltje achter me aan, en vielen er stenen voor mijn voeten, die uit het niets neergeploft leken te zijn.

Ik denk dan ook dat ik een gematigd soort *Poltergeist* was.

In ons huis hingen portretten van voorouders van wie soms niemand meer de namen kende. Met het observatievermogen voor details dat zo kenmerkend is voor kleine kinderen, was ik getroffen door hun bijzondere kleren en gelaatstrekken, die ik me nog levendig voor de geest kan halen, en mijn fantasie verzon hele verhalen waarin zij de hoofdrol speelden. Het schilderij dat mij het meest fascineerde was een groot ovaal portret van een kaarsrechte strenge dame, met een gepoederde pruik van lange witte krullen, die een wijde grijsblauwe japon droeg, afgezet met crèmekleurig kant.

Ze was niet bijzonder mooi, en mijn moeder, die verstand had van kunst, dacht niet dat dat schilderij door een beroemde schilder geschilderd was, zoals de andere portretten in huis. Maar er lag een zekere adel in haar opgesloten, en hoewel ze heel verschillend waren, was er iets in haar houding wat me erg aan oma deed denken, zoals die eruitgezien zou hebben als ze twee eeuwen eerder geboren was.

Op het portret was de hals onbedekt, maar ik was er zeker van dat ze een ketting van filigraan en aquamarijn, de kleur van haar ogen, gedragen moet hebben.

Vele jaren later, toen ik in Afrika woonde, droomde ik op een nacht intens van oma. In haar grote poezelige handen hield ze een halsketting die er precies zo uitzag als de ketting die ik me zo vaak had voorgesteld.

Ze had hem uit een rood fluwelen tasje gehaald, dat met een zijden koordje was dichtgebonden, en ze liet hem me zien.

'Die is voor jou,' zei ze tegen mij, 'je moet goed onthouden waar ik het leg, want het is een geheime bergplaats die niemand kan vinden.'

Naast haar stond een elegant meubeltje, van donker glimmend

hout, met een mozaïek van paarlemoer, in oosterse stijl. Ik deed een van de vele laatjes open, haalde er de bodem uit en toen verscheen er ineens een geheime bergplaats, waar ze het juweel in zijn zakje had verstopt.

Haar Mona-Lisaglimlach – net als bij de dame op het schilderij – was nog aanwezig toen ik plotseling wakker werd in mijn kamer in Nairobi en het ochtendlicht koraalkleurig door de dichtgetrokken gordijnen filterde.

Zo sterk en diep was de indruk van de droom dat hij in het zonlicht niet vervluchtigde. Ik belde mijn moeder, in Venetië, en vertelde haar mijn droom, die ik in detail beschreef.

'Waar staat dat meubeltje? Ik geloof niet dat ik het ooit gezien heb; heeft het echt bestaan?'

Ook zonder haar gezicht te zien merkte ik dat ze haar adem inhield.

'Ik bel je zo terug; ik moet even met tante Otti overleggen.'

Even later, nadat ze haar zus geraadpleegd had, belde ze me terug.

Het meubel had naar het scheen echt bestaan. Het stond in het boudoir van mijn oma en vanwege zijn afwijkende stijl, met talloze versieringen, werd het in de familie 'het Chinese penantkastje' genoemd.

Ze hadden nooit geweten dat het een geheim vak had gehad, en ze konden nu niet meer nagaan of daar een halsketting in gezeten had. Het was namelijk, net als alle huisraad in het huis van mijn grootouders in de stad, verloren gegaan bij het bombardement van Treviso, in de zomer van 1943, toen ik nog maar een paar weken oud was.

Oma was mooi.

Voor een vrouw uit die tijd was ze lang, op middelbare leeftijd nog slank, heel precies en onberispelijk in haar kleding, en rustig en gereserveerd van aard.

Ze had een kaarsrechte, trotse manier van lopen, verzacht door haar vriendelijke en gulle aard, en hoffelijke manieren die getuigden van een goede opvoeding. In haar kwamen de deugden samen van de dames uit de negentiende eeuw, een eeuw die ze bewonderde, waarin ze zich thuis voelde, en die ze nooit geheel achter zich had gelaten.

In dat ovale gezicht met regelmatige trekken, een hoog voorhoofd, donkere ogen en een rechte, goed gebouwde neus, met licht gespreide aristocratische neusvleugels, viel de mond op, met vlezige lippen en een regelmatig gebit, die in die tijd te modern werd gevonden. In een poging tenminste míj te helpen dat onmogelijke ideaal van een mondje als een rozenknop, zoals je dat alleen op schilderijen ziet, te bereiken en te behouden, liet ze mij urenlang snel achter elkaar de woorden 'peer, pruim, perzik' herhalen, een oefening waardoor volgens haar je mond kleiner werd.

Maar ach, helaas, het mocht niet baten.

Oma sprak weinig, maar haar handen konden toveren en hele middagen kon ze zitten borduren of haken.

Op het uur van de siësta, als de anderen sliepen, het huis wegdommelde in de lome warmte en de vliegjes dansten in het zonnestof van de zomermiddag, zat zij aan haar naaitafeltje met spiraalvormige poten waarin ze haar naalden en haakpennen en kluwens garen bewaarde, meestal alleen, soms met een dienstbode, en vaak met mij.

Ik zat dan tegenover haar aan dezelfde tafel; haar grote beweeglijke handen die leken op de mijne – zoals mijn handen nu zijn – waren bedrijvig in de weer over een web van garen en haakjes; en er vielen prachtige borduursels en geraffineerde patronen van haar schoot, als een vlucht vlinders op een helling van zijde.

Ze kon de prachtigste patronen maken: haar borduursels en gehaakte zomen hadden de fijne, tere vorm van bloemblaadjes, maar door haar minutieuze zorg voor de details waren ze zo duurzaam en stevig, dat de meeste haar overleefd hebben. Prachtige zomen van talloze tafelkleden, servetten en kleedjes had ze op die manier gemaakt, en veel prijken er nu nog in mijn huis in Afrika, en brengen oma voor mij weer tot leven, meer dan dertig jaar na haar dood en meer dan veertig nadat ze ze gemaakt had.

Af en toe onderbrak ze het borduren en vroeg mij hoe het mij afging. Met eindeloos geduld boog ze zich over me heen om het mij te leren, waarbij ze iedere steek zorgvuldig controleerde. Dan kon ik haar intense parfum van gardenia en tuberoos opsnuiven, en de ronding van haar oren zien, met paarlen oorbellen, teer en doorschijnend als een schelp.

Ik hield van die momenten en nu koester ik die herinneringen als een schat.

Onze hoofden gebogen over een patroon, haar stem, vriendelijk in haar zangerige Venetiaanse dialect, die mij raad geeft over een ingewikkelde steek, haar verhalen over de tijd die ze als kind in een klooster doorbracht – lange wollen kousen en grauwe schorten –, haar huwelijk als heel jonge bruid met mijn knappe opa. De jaren die ze met hem had doorgebracht, tijdens de Eerste en daarna de Tweede Wereldoorlog, het bombardement van Treviso en het verlies van al haar huisraad.

'Het komt door jou dat opa nog leeft,' zei ze steeds weer tegen mij, 'door jou en door zijn chauffeur Costanzo.'

Dat was een rare gebeurtenis geweest, dat bombardement van Treviso, een typisch voorbeeld van de vreselijke gevolgen waartoe een toevallige vergissing in oorlogstijd kan leiden.

Treviso had geen strategisch belangrijke objecten. In die tijd was het een lieflijk, slaperig stadje, gelegen aan de oevers van de rivier de Sile, zoals Dante beschreven had met verrassende geografische nauwkeurigheid: 'Waar Sile zich verbindt met Cagnan.'

Treviso had meer eethuisjes dan kerken, en mooie villa's van Palladio in tuinen met hoge bomen langs de Terraglio, de oude koetsweg die de stad verbond met Venetië. De middeleeuwse muren waren bedekt met paardekastanjes en onderbroken door poorten in uitgehouwen steen, waar nu een rustig verkeer onderdoor gaat. Ook toen was er een bloeiend en actief cultureel leven, met veel kunstenaarskringen.

Een tragische spelfout betekende het einde voor een deel van de stad. De naam Treviso leek op Tarvisio, een belangrijk spoorwegknooppunt aan de weg naar Oostenrijk en Duitsland, iets meer dan honderd kilometer naar het noorden en verscholen te midden van de bergen. Dat was het echte doel van de luchtaanval van die nacht. Ze bombardeerden de verkeerde stad, en de zon trof de volgende dag alleen stilte, diepe bomkraters en ruïnes aan.

Het was een zomernacht en de plaatselijke levensgenieters, die buiten de oorlog hadden weten te blijven, namen slokjes van hun avondaperitief van *spritzo* of Punt & Mes in de bar van de Stella d'Oro, toen een van de vele bommen uit de hemel op hen viel. Iedereen was op slag dood – en ook degenen die bescherming gezocht hadden in de schuilkelder die door een andere bom getroffen werd –, en de prachtige monumenten, de herenhuizen en de villa's – en het mysterie van de blauwe dame – verdwenen voor eeuwig van de aardbodem, zonder enige reden.

Mijn opa was door een wonder gered, en vanaf dat moment bezwoer hij ons dat ik het was die zijn leven gered had, ook al had ik dat uiteraard niet zelf kunnen doen omdat ik nog maar een paar weken oud was. Omdat ik net geboren was en er gevaar van bombardementen dreigde, was onze familie op het platteland geëvacueerd, eerst in Gorgo al Monticano, waar opa een droogkamer voor zijdecocons had, die na het drogen vervoerd werden naar de spinnerij in Crespano. De droogkamer was vanwege de oorlog gesloten. Er was een woning vlakbij die uitkeek op een trage groene rivier. Opa's chauffeur, Costanzo, haalde hem ertoe over die fatale avond helemaal naar Gorgo te rijden om daar de nacht door te brengen, en om naar mij te gaan kijken, het eerste en innig geliefde kleinkind, in plaats van in de verstikkende hitte van de stad te gaan slapen. Opa liet zich overhalen.

Dat was de beslissing die zijn leven redde, want de volgende dag was er alleen nog maar een diep gat over van hun mooie oude huis en alles wat erin gestaan had.

Jaren later herinner ik me nog hoe ik zonder dat mijn ouders het wisten met mijn speelkameraadjes op de daken van de stad rondbanjerde. Vanaf een balkon klommen wij over hopen puin en afval, daarna gingen we omlaag langs steile wankele plafonds die door de oorlog verwoest waren, waar je op kale muren alleen nog maar het silhouet kon zien van een trap die er vroeger geweest was, de afgebrokkelde pleisterkalk, en lege tuinen met elegante lanen die nergens meer heen gingen, en die de plek aangaven waar ooit trotse herenhuizen gestaan hadden.

Oma zag er net zo breekbaar uit als haar borduurwerk, hoewel ze – in ogenschijnlijke tegenspraak hiermee – begiftigd was met een grote innerlijke energie. Ze hield van gezelligheid en speelde eindeloze middagen canasta met haar vriendinnen.

Haar voornaam was Maria, net als die van mij.

Haar naamdag, die ze met mij deelde, was een bijzondere dag.

Die viel op 12 september, nog in de lange schoolvakantie, die toen vier maanden duurde, en we vierden hem steeds in Crespano, ook na de oorlog. Geleidelijk werd het feest steeds uitbundiger, naarmate de rantsoenering plaatsmaakte voor een herwonnen overvloed.

In het begin waren de cadeaus bescheiden en waren ze zelfgemaakt: mijn moeder blonk uit in het naaien van kleine voorwerpen van stof, zoals speldenkussens of geborduurde vilten tasjes.

Er was nog geen televisie of andere afleiding, en ons leven buiten werd gekenmerkt door een gezonde landelijke eenvoud.

Oma was jong en naïef van karakter en zag met plezier toe hoe wij het feest voor haar voorbereidden, iets waar iedereen erg serieus mee bezig was.

Het hoogtepunt viel onder het diner, met veel gasten, waarop haar lievelingsgerechten opgediend werden: piepkleine garnalen met citroenmayonaise, risotto met paddestoelen, besprenkeld met parmezaanse kaas, gebraden parelhoen met pepersaus, polenta van de grill, rode radicchio-sla, een crème brûlée met marasquin zoals zij die maakte, en marrons glacés of gekonfijte viooltjes bij de koffie na de maaltijd. Tijdens dat diner vond er een opvoering plaats van wat mijn opa, met een hoogdravende, ouderwetse term, een 'pyrotechnisch schouwspel' noemde.

Op de ochtend van de naamdag vertrok hij heel vroeg naar Treviso om het een en ander in te slaan, want als ware fijnproever was hij erg precies wat het menu betrof en het kiezen van speciale ingrediënten voor feestelijke gelegenheden gaf hem grote voldoening.

Hij kwam dan terug met een auto vol boodschappen, die zijn onafscheidelijke chauffeur Costanzo naar de keuken bracht. Er waren grote schijven parmezaanse kaas en dikke olijfolie uit Toscane, flessen spumante, en gorgonzola. Al gauw draaide er een parelhoen aan het spit en bakte lekker bruin, in het hele huis rook je de mosgeur van het eekhoorntjesbrood, die aan de bossen deed denken; allemaal boden we aan om te helpen met het pellen van de garnalen, en ik raakte helemaal opgewonden van het wachten.

Ik wist dat er bij de verschillende pakken een was dat met zorg gehanteerd moest worden, omdat het brandbaar was: er zat vuurwerk in.

Geholpen door Costanzo legde opa het op strategische plekken neer, achter de heuvel aan de rand van de tuin, waar vroeger de schuilkelder was geweest en waar we nu de kisten wijn koel hielden.

En als het donker was gingen wij, na de maaltijd en het uitwisselen van gelukwensen en geschenken, in feestelijke stemming buiten zitten, waar rijen stoelen opgesteld stonden: oma op de ereplaats en ik naast haar omdat wij de feestvarkens waren.

Bij uitzondering mocht ik een glas marasquin drinken, of een anijslikeur of misschien zelfs een bittertje, en ook die bijzondere smaken vond ik feestelijk.

Dan begon het geknal: vuurpijlen als omgekeerde kometen die we met wijd opengesperde ogen volgden in hun tocht omhoog tot ze uiteindelijk ontploften in stromen vonken en watervallen van licht.

Opa hield van zijn rol van onschuldige dynamiteur, en ik denk dat dit schouwspel in werkelijkheid voor mij bestemd was.

Maar als ik links van mij naar oma keek, in het gekleurde licht dat haar met tussenpozen verlichtte, zag ik dat haar rustige en bedaarde gezicht net zo opgewonden was geworden als dat van mij, en dat haar kinderlijke vreugde de mijne weerspiegelde.

In het onzekere roze licht waren al haar rimpels verdwenen en zonder het te weten waren wij hetzelfde kind.

IV

EEN FAMILIE VAN VROUWEN

Behalve mijn moeder en mijn oma waren er bij ons thuis ook nog de tantes.

Twee oudtantes, Maria en Giuseppina, en de beide zussen van mijn moeder, een oudere zus, tante Vittoria, die Vito genoemd werd, en een jongere, tante Ottorina, genaamd Otti.

Tante Maria was mijn peettante. Ze was getrouwd met opa's broer, een knappe man met een dun snorretje en een zekere reputatie als rokkenjager; hij stierf direct na de oorlog aan een hartaanval, misschien als gevolg van een overdaad aan lucullusmalen en aan weelderige schonen. Een van hen, Irma, een welgevormde landelijke schoonheid met groene ogen, die gouvernante was geweest in een van hun landhuizen, heeft hem vele jaren overleefd. Ze hadden geen kinderen, en ik herinner me tante Maria als een bleke, broodmagere dame, altijd gehuld in lagen zwarte zijde, haar hoofd bedekt met ouderwetse rouwsluiers zoals weduwen die droegen. Ze reikten tot aan haar slanke enkels en ze bleef ze dragen van de dood van haar man tot haar eigen dood.

Ze was aristocratisch, lang en hoekig, had enorme tragische donkere ogen en nerveuze handen vol met ringen, waarmee ze aldoor maar de sigaretten rolde, die ze voortdurend, zenuwachtig, rookte, in een elegant gouden mondstuk. Ze had veel weg van een struisvogel. Goedhartig, maar gereserveerd, niet gewend aan kinderen, bewoog ze zich als een schim door het huis.

Na de oorlog nam ze bij haar bezoekjes aan ons altijd enorme dozen overheerlijke stukjes marsepein mee, in de vorm van piepkleine vruchtjes, en daarom associeer ik haar altijd met een geur van amandelen, vanille en sigarettenrook.

Tante Giuseppina, op zijn Venetiaans Beppa genoemd, was de vrouw van oma's broer. Dat was een joviale, corpulente man, altijd onberispelijk gekleed, met zijn gesteven witte zakdoek, die naar eau de cologne rook, in de zak van zijn prince-de-galleskostuum. Hij had het opgewekte karakter van een levensgenieter, en helemaal niets om handen.

Tante daarentegen was klein, levendig, met beweeglijke donkere ogen, altijd gekleed in zijden jurken en snoezige hoedjes met een voile die voor haar ogen hing.

Zij woonde in een oud herenhuis in het hart van Treviso, met hoge deuren van ingelegd notenhout, prachtige vloeren van Venetiaans terrazzowerk dat op noga leek. Het stond midden in een grote tuin vol groen en bomen, die uitzag op de Sile en die je bereikte via een koetsierspoortje onder de goudenregen. Ze noemde mij Pitusso, wat Venetiaans is voor 'kuikentje', en dit bleef haar naam voor mij, ook na mijn huwelijk en de geboorte van mijn kinderen.

Maar mijn lievelingstante was tante Vittoria, die ik Vito noemde.

Ze was erg lang voor een vrouw uit die tijd, slank, met mahoniebruin haar met een blonde glans, en een prachtig gezicht, met levendige oogjes die omhoogkeken.

Ook al moet ze in mijn vroegste jeugd zo ongeveer achtentwintig jaar geweest zijn, toch had ze al dat ondefinieerbare uiterlijk dat vroeger meisjes hadden die voorbestemd waren om ongetrouwd te blijven. Ze is dan ook nooit getrouwd, en uiteindelijk ging ze voor haar ouders zorgen en offerde ze haar jeugd en rijpere jaren op voor een eentonig, voorspelbaar leven, haast als een nonnetje.

Meteen na de oorlog liep ik een hevige vorm van kinkhoest op, naar het schijnt van de bakkersdochter, 'la Pina del pan'.

Mijn moeder was toen zwanger, en kinkhoest – wat zij nooit gehad had – werd beschouwd als een ernstig gevaar als er een baby op komst was.

Daarom werd ik het huis uit gestuurd om bij opa en oma te logeren, die in de tussentijd verhuisd waren naar een nieuw huis in Treviso, nadat hun oude huis verloren gegaan was bij de geallieerde bombardementen van 1943.

Deze kinkhoest was ongetwijfeld de belangrijkste gebeurtenis in mijn eerste levensjaren, want daardoor moest ik van huis veranderen, van gewoonten, en zelfs van stad. Alles werd anders.

Mijn moeder te verlaten op zo jeugdige leeftijd moet een ingrijpende ervaring geweest zijn; maar de voortdurende aanwezigheid en toewijding van tante Vito, die besloot om mij in bed te nemen, zodat ze mij met niet-aflatend geduld beter kon verzorgen in eindeloze nachten van hoesten en overgeven, als ik lag te blaffen als een wolvenjong, vormden een houvast voor mij.

Ze nam haast de plaats van mijn moeder in en door haar liefde wist ze mijn gevoel van ontreddering weg te nemen; maar de ervaring ver van huis te zijn gaf mij een emotionele onafhankelijkheid, die mij in later jaren zeer van nut zou zijn.

Zolang tante Vito leefde, hield ik een speciale hechte band met haar. Zij was altijd echt vrolijk en gul, met een oprecht enthousiaste glimlach: het feit dat ze haar jeugd had opgeofferd om anderen te helpen had geen spoor van bitterheid of jaloezie achtergelaten; en ik was dol op haar.

Vele jaren later – nog niet eens zo lang geleden – toen ik voor mijn stichting op reis was in Californië, kreeg ik een telefoontje van mijn moeder dat tante Vito nu het bed moest houden, dat ze heel erg ziek was en het niet lang meer zou maken.

Ze was al een eind over de tachtig, en de artsen waren van mening dat ze nog maar een paar dagen te leven had.

Ik vloog onmiddellijk naar Londen en daarna via Venetië naar Treviso, heel treurig, met een zwaar hart, om haar vaarwel te zeggen.

In haar kamer in het halfduister, vol meubels en bekende voorwerpen die mij mijn kinderjaren in het geheugen terugriepen, lag tante Vito daar, met haar hoofd op een totaal verfrommeld linnen kussen, in haar grote mahoniehouten bed.

Ze merkte niet dat ik binnenkwam, op mijn tenen, om haar niet wakker te maken.

Ik ging op haar bed zitten en drukte even mijn lippen op haar voorhoofd.

Haar gezicht, verwoest door de ziekte, leek merkwaardig jong en weerloos, in haar woelige slaap. Haar gesloten paarsdooraderde oogleden trilden en langzaam opende ze haar topaasblauwe ogen.

Haar gezicht lichtte op van vreugde toen ze me herkende, en heel even was ze weer jong en gezond, zoals toen ze me vroeger in haar armen nam.

'Mijn schatje,' mompelde ze, 'mijn schatje, daar ben je dan.' De inspanning was te zwaar voor haar en ze sloot haar ogen.

'Zoveel pijn, zoveel pijn. Hield het maar even op, al was het maar één momentje.'

Ze deed opnieuw haar best om haar ogen te openen.

'Je bent mijn dochtertje, mijn dochtertje, weet je, het dochtertje dat ik nooit gehad heb. Geluk. Bij jou te zijn, mijn kind, geluk.'

Een flits van waar geluk leek een ogenblik haar grauwe wangen te kleuren.

De verpleegster kwam binnen met een dienblad. Ze zette het op het nachtkastje, trok het bed recht, efficiënt.

'Ze eet niets. Ze heeft de hele dag al geen eten aangeraakt; haar mond doet pijn, die is vol blaasjes door de medicijnen. Kijkt u eens of u iets bij haar naar binnen kunt krijgen.'

Flitsen herinnering: een jong gezicht dat zich liefhebbend over mijn gezichtje heen buigt, dat vuil is van braaksel en tranen na een nacht van woelen en hoesten, een zijden nachthemd dat haar slanke lichaam omhult, een lepel soep en daarna een lepel zoete, kleverige stroop tegen mijn lippen gedrukt.

Een jonge stem, vol geduld en liefde: 'Mijn schatje, probeer eens te slikken. Twee druppeltjes; rustig, rustig... Goed zo, nog een beetje...'

Een kussen om haar tere rug te steunen, een lepel griesmeel, aangelengd met soep, tegen haar blauwige, maar nog volle lippen gedrukt: de rollen zijn omgekeerd.

'Vito, maar twee druppels, rustig, rustig; dat zal je goeddoen.'

Ze keek me aan met aandachtige ogen, vol vertrouwen, als een kind. De soep gleed langs haar halfopen lippen en druppelde ervanaf.

Ze was in slaap gevallen. Ik bracht twee dagen bij haar door, totdat ik weer terug moest naar Kenia.

De laatste ochtend ging ik op haar bed zitten, en hield lang haar hand vast, zonder iets te zeggen.

'Adio,' zei ze tegen me. 'Adio. Ik ga. Ik ga naar oma... naar opa... naar Emanuele. Ik zal je niet weerzien, mijn schatje. Dank je dat je gekomen bent. Ik heb op je gewacht, weet je. Nu kan ik ook gaan.'

Mijn keel was beklemd in die doodsstrijd, die mij vertrouwd was.

'We komen elkaar wel weer tegen. Maar alsjeblieft, Vito, geef mij een teken. Waar ik ook ben, geef me een teken als je komt. Ik zal het begrijpen.' Ze knikte, met gesloten ogen, al ver weg.

Enkele dagen later, terug in Kenia, liep ik omhoog naar mijn kantoor, dat hoog gebouwd is op palen van *mutamayo* en uitziet op de savanne. Er woei geen briesje in de verstarde middaghitte.

Op mijn dagboek, dat open lag op mijn bureau, alsof een tedere hand het daar opzettelijk neergelegd had, lag een verse gardeniabloem, die geen wind daarheen had kunnen voeren.

Terwijl de tranen over mijn wangen stroomden, belde ik mijn moeder in Venetië op mijn mobieltje, en zij vertelde me wat ik al wist, dat tante Vito gestorven was.

Tante Otti was beslist de beauty van de familie. Lang haar, asblond, zwanenhals, engelengezicht, hazelnootkleurige ogen met streepjes goud. Ze trouwde in Crespano toen ik ongeveer een jaar was. Ik kan me de ceremonie vaag herinneren, wat te maken gehad moet hebben met wat ik aan had: motiefjes van heel kleine oranje en blauwe bloempjes op een stof van wit piqué.

Voor het huwelijk van tante had mijn moeder, die net als haar moeder met haar handen kon toveren, een speciale jurk voor mij gemaakt, met een hoedje met een brede rand van dezelfde stof, om mijn gezicht tegen de zon te beschermen. Ik kan me er maar weinig meer van herinneren, want ik was nog maar heel klein; wel herinner ik me in een paar flarden een pasgeboren neefje, heel lief, met kuiltjes in zijn wangen als hij glimlachte, en heel fijn zijdeachtig blond haar. Hij was maar één jaar jonger dan ik en heette Paolo, maar iedereen noemde hem Paolino.

Als in flarden van een familiefilm zie ik hem zitten in zijn houten box onder de ceders van de Libanon, wankelend op nog onzekere beentjes, en ik heb een levendig beeld van mezelf als ik achteruit stap en hem aanmoedig zijn eerste stapjes te zetten, en dan met mijn elleboog een gloeiend strijkijzer aanraak, dat op de rand van een tafel stond.

Zelfs als ik er alleen maar aan denk, voel ik plotseling weer die pijn van mijn eerste brandwonden, en zie ik met verbazing mijn huid opzwellen in een L-vormige blaas, waarvan ik nu nog een nauwelijks zichtbaar litteken overgehouden heb. Op dat moment, toen ik nog niet eens kon lezen, hield ik door die vreemde vlek op met snikken, want de vorm leek op de kanten sok met een rand van rood lint, die voor het eerst in mijn leven midden in de nacht door de geheimzinnige Befana gevuld was met snoep en lekkers.

De Befana was voor mij een angstaanjagend oud vrouwtje, dat als een heks op een bezemsteel rondvloog; ze had lang, wit, verward haar, een kin met harige wratten en een lange kromme neus. Ze had de onplezierige taak om steenkolen te brengen aan de ongehoorzame kinderen en de kousen die de zoete kinderen aan de haard gehangen hadden te vullen met bescheiden gaven, zoals chocolaatjes en stukjes noga.

Ze was arm, maar op haar knorrige wijze toch gul, en glipte door de beroete schoorsteen om haar gaven achter te laten, een karig maal van brood en kaas te nuttigen en een glas rode wijn te drinken, dat voor haar klaargezet was om haar gunstig te stemmen.

Terwijl ik een onrustige slaap sliep, bevolkt met de angstige beelden van die heks, die in ons veilige huis binnendrong, legde mijn moeder de cadeaus klaar en deed alsof ze het eten opat, liet nagelafdrukken in het brood achter, zette haar tanden in de kaas, en dronk de wijn op, zonder te beseffen wat voor angsten deze bewijzen van het bestaan van de Befana in mijn fantasie zouden achterlaten.

'La Befana vien di notte, con le scarpe tutte rotte, col vestito di furlana, viva viva la Befana.' De Befana komt 's nachts met haar schoenen helemaal kapot, met een jurkje uit Friuli, lang leve de Befana. Dat zong de kinderjuf van Paolino. Het was een stevige, dikke meid, met licht haar en een blozende huid, ze was het toonbeeld van gezondheid wanneer ze de blauwe kinderwagen voortduwde, maar haar stem was hees als ze zong, en mijn vader, die als arts meer wist dan wij, beviel dat helemaal niet.

Ze besmette dan ook mijn neefje met een dodelijke vorm van tuberculose, die daarna veranderde in hersenvliesontsteking, een ziekte die in die tijd niet te genezen was.

'Tuberculeuze meningitis' was een nieuw en voor mij onbegrijpelijk woord. In mijn oren klonk het vijandig en riep het visioenen van grotten en sloten op. En al de vereende krachten van onze liefde vermochten er niets tegen.

Op een nacht, enkele jaren na het eind van de oorlog, toen wij verhuisd waren naar Treviso, werd ik gewekt door het rinkelen van de telefoon. Ik stond op en ging op het geluid af, dat in het donker onheilspellend klonk, en de tegels, in hun zwart-witte mozaïek, voelden koud aan onder mijn blote voeten.

In de hal zat mijn moeder in een roze nachthemd, op de antieke kist met houtsnijwerk, die mij later zou volgen naar Afrika. Ze hield de hoorn van de telefoon onhandig vast, alsof hij veranderd was in een afzichtelijk zwart insect, en antwoordde met een volwassen, afwezige, vreemde, klankloze en onherroepelijke stem, die ik niet kende en waar ik van schrok, een stem die ik niet wilde horen en die me in tranen deed uitbarsten: 'Hij is dood, het is afgelopen.'

De details van het treurige einde van Paolino kwamen bij stukjes en beetjes in de loop van de daaropvolgende uren, maar ze heeft me nooit een echte verklaring gegeven, want in die tijd dachten de volwassenen nog dat kinderen niet in staat waren de dood te begrijpen en dat men de waarheid voor hen verborgen moest houden.

Maar hun woorden, waar ze in hun verdriet onhandig mee omsprongen, bereikten mijn nieuwsgierige oren toch wel en ze raakten me diep, zoals alles wat je niet zelf gezien hebt, want je verbeelding vult de lacunes op en voegt er details aan toe die niet echt gebeurd zijn.

'Tijdens zijn ziekte was zijn haar tot op zijn schouders gegroeid...' en ik zag dat haar voor me, lang en fijn, zoals het over zijn witte schouders golfde; '... tenslotte ging hij rechtop zitten en wierp zijn hoofd met een ruk achterover,' en ik stelde mij het geborduurde linnen laken voor, helemaal nat van het zweet, en een kussen waarop de afdruk van zijn lijfje nog te zien was.

Ik probeerde het te begrijpen, maar iets in de gebeurtenis ontging me.

Alles leek bij het oude te zijn gebleven, maar het was of een grote vleugel van het kwaad een schaduw op onze familie geworpen had, waardoor de volwassenen stil en gedeprimeerd waren en er een sluier van weemoed werd opgetrokken, waar ook mijn kinderlijke gepraat niet doorheen kon komen.

Tante Otti, die met haar licht iedere kamer waar zij binnenkwam opgefleurd had, werd nu een grauwe, onverschillige schim van zichzelf; haar stem verloor zijn muziek en haar lege ogen hun kleur.

In deze voor mij zo schokkende uitwendige verandering aanvaardde ik, zonder het aan iemand te zeggen, de onherstelbare schaduw van de dood, die alles verduistert en vernietigt, en toen begreep ik voor het eerst dat op die manier, zonder enig uiterlijk teken, in stilte, ook de bloemen in hun vazen verwelken.

V

DE ONZICHTBARE VRIENDIN

Wat is een vriend? Eén ziel, die
in twee lichamen woont.
ARISTOTELES

Van de dag dat ik voor het eerst mijn vader ontmoette herinner ik me
de aarzelende feeststemming, het voortdurende gefluister, en de geur
van de houten planken van de vloer van de voorkamer waarin ik
moest slapen, zodat mijn slapende aanwezigheid de intimiteit van
mijn ouders niet zou verstoren. Er waren jaren voorbijgegaan sinds
mijn vader en mijn moeder voor het laatst bij elkaar geweest waren,
eigenlijk al vanaf voor mijn geboorte.

Nu was de oorlog voorbij, en mijn vader was weer terug. Hij was
ontsnapt uit de gevangenis waarin ze hem maanden lang hadden opgesloten, nadat ze hem gepakt hadden toen hij fungeerde als verbin-
dingsofficier voor de geallieerden tijdens het verzet. Hij stond toen
aan het hoofd van een groep partizanen die zijn basis had in de heuvels van de Col di Luna, in het noordoosten van de Veneto.

Mijn vader was teruggekomen, en door de emotie en de opwinding
van deze nieuwe ervaring kon ik de slaap niet vatten: het gefluister aan
de andere kant van het schot, waar de luide mannelijke stem de boven-
toon voerde, was een vreemd geluid, dat doordrong door de dunne
muur die mij voor het eerst in mijn leven van mijn moeder scheidde.

Tot op dat ogenblik was mijn opa van moederskant voor mij de va-
derfiguur geweest, de belangrijkste persoon ter wereld, die ik bewonderde en als almachtig beschouwde. Opa was een man met vriendelijke manieren, lang en knap, ondanks zijn vroege kaalheid. Hij had
regelmatige trekken, een goed gevormd hoofd, een gulle mond en
schitterende, donkere ogen.

Hij zag er erg elegant uit, altijd onberispelijk gekleed, traditioneel en ouderwets. In de winter droeg hij om zich warm te houden grijze vilten slobkousen over zijn glimmende schoenen, net als Dagobert Duck in de strips van Walt Disney. Hij was erg op schoenen gesteld en had daar een indrukwekkende collectie van: natuurlijk op maat gemaakt en glanzend als spiegels. Ook had hij dozijnen overhemden, van zijde, katoen en linnen, in iedere denkbare tint, en op allemaal was links in blauw zijn monogram geborduurd. Hij had pakken voor alle gelegenheden en jaargetijden: heel fijn kasjmier, grijs flanel, beige gabardine, blauw met wit linnen, zwart met wit prince-de-galles, smoking en rok. Ik kan me niet herinneren dat ik hem ooit zonder das gezien heb.

Hij had ook een wandelstok en droeg altijd een hoed, 's zomers een strohoed uit Florence, en 's winters een Engelse vilthoed; daar tikte hij eventjes aan als hij een kennis ontmoette, een gebaar dat, als het om een dame ging, gevolgd werd door de aanzet tot een handkus.

Zijn stem was kalm en bedaard, tegenover mij was hij uiterst geduldig, en ik was dol op hem.

De terugkeer van mijn vader bracht een nieuwe dimensie in ons leven. Veel jongelui kwamen ons opzoeken, en 's avonds weerklonk onze tuin van partizanenliederen, spelletjes en muziek en van de hervonden vrolijkheid van de volwassenen.

Onze nachten werden niet langer verstoord door de groen met rode lichtjes die de vliegtuigen aankondigden die het slaperige dorp kwamen bombarderen; en de schuilkelder achter in de tuin, die in de recente angstige tijden onze buren en het halve dorp een schuilplaats had geboden, was opnieuw gewoon een grasheuveltje, waar ik op klom om te spelen; in het vochtige, veilige duister van de kamers erbinnen hielden we de flessen goede wijn koel, die opnieuw op onze tafel kwamen.

Juist toen merkte ik op een dag, tegen de verre zoom van vaag zichtbare bergen, blauw als de vertrouwde horizons van al onze herinneringen, tot mijn verbazing het onwaarschijnlijke teken. Het werd gevormd door grote bomen, geplant in een prachtig patroon van twee letters van het alfabet. Een reusachtige M, donkergroen op het brede hellende weiland, en iets hoger een omgekeerde M, waar de streep van de een of andere plant ontbrak: het was of een reusachtige hand onder het schrijven onderbroken was, omdat de schrijver zich bedacht had.

Mij werd verteld dat de beide letters W Maria, leve Maria, betekenden.

Dat werd me haastig uitgelegd, zonder verder commentaar, zoals volwassenen vaak doen als ze geen tijd hebben om uitgebreid de nieuwsgierigheid van kinderen te bevredigen.

Een van de namen die men mij gegeven had was namelijk Maria: ik wist nog niet, en kon dus ook niet op het idee komen, dat de letters sloegen op Maria, de moeder van God. En omdat we in ons gezin niet veel aan godsdienst deden, meende ik, zonder ooit echt te begrijpen waarom, dat ze op mij sloegen, want ik was er zeker van dat ik geliefd was, het centrum van alle aandacht, steeds gevolgd door twintig ogen, vertroeteld door de volwassenen, voor wie ik het symbool van hoop was in bange tijden en een onzekere toekomst.

En toch was ik alleen.

Op de middagen waarop ik moest rusten in een groot bed met verse linnen lakens, geborduurd in platsteek, volgde ik op het plafond het spel van de schaduwen, weerkaatsingen van de zon in het halfduister, figuren waaraan ik de namen gaf die ik gehoord had, vluchtige gezichten, gestalten gevormd door mijn verlangen naar vrienden of leeftijdgenootjes bij mijn eenzame spelletjes als eerstgeborene en enig kind in die jaren van de Tweede Wereldoorlog, in het dorpje in de Veneto waarheen we geëvacueerd waren.

Zo gebeurde het dat op een willekeurige namiddag – terwijl allen, loom van een rijkelijk maal, hun dagelijkse siësta hielden, en het zomerstof het halfduister van de kamer doorsneed in een streep van licht – mijn geheime vriendin in mijn leven kwam.

Franca Carletto verscheen plotseling, al was ze misschien al lang gevormd in mijn fantasie, in het verlangen om iemand te hebben met wie ik de ontastbare geheimen kon delen, het rennen in de wei, de margrieten, de bessen en de stukken appeltaart, die soms te groot waren voor mij alleen. Ze glipte naar binnen door de spleten van de gebarsten houten luiken, te midden van de stilte, bevolkt door de dromen van het slapende huis.

Vanuit de verte kwamen, in de trage hitte, de gedempte geluiden van elke zomermiddag: zagen die zoemden als insecten, dronken van de zon, het intense getjilp van onzichtbare krekels, een koor van alle mogelijke vogels, druk in de weer in de koelte van de takken, en het gebruikelijke gekakel van de kippen, die steeds weer verbaasd waren over het ei dat ze gelegd hadden.

Ik voelde haar aanwezigheid met een zekerheid die ik nog nooit eerder had gekend; ik ging rechtop op bed zitten en heette haar welkom in mijn leven, met de hartkloppingen waarmee je aanvoelt dat je dromen zijn uitgekomen.

Meteen begroette ik haar met die huiselijke naam, die ik ergens gehoord had, en die ze altijd bleef houden; ik maakte naast mij plaats voor haar; en vanaf dat ogenblik was ze altijd bij me, totdat er echte kinderen kwamen om mee te spelen, zodat ze haar functie verloor en haar tijd voorbij was. Maar ze was mijn trouwste en misschien ook mijn beste vriendin, omdat ze nooit een definitief gezicht had en steeds van uiterlijk en kleuren, stem en karakter kon wisselen naar gelang van mijn grillen van iedere dag, gehoorzaam aan mijn verlangens zoals een echt bestaand persoon dat nooit kan zijn.

Ze wilde nooit iets anders dan ik, ik leefde op haar al mijn woede uit en hield van haar; ik gaf haar zonder aarzelen mijn liefste speelgoed, want ik wist zeker dat ze er zuinig op zou zijn.

Ik was dankbaar voor haar trouwe aanwezigheid, haar geduld als ze me rustig volgde en mijn verhalen aanhoorde, die niet langer monologen waren en die de lange stilte om mij heen onderbroken hadden; en ik vergat nooit de lekkerste hapjes voor haar over te laten, die ik zorgvuldig op de rand van mijn bord opstapelde voor ik begon te eten. Ik kroop in een hoekje van mijn rieten stoeltje, zodat er voor haar plaats was op de rand en als ik mijn handen gewassen had reikte ik haar mijn handdoek aan, zodat zij ze ook kon wassen.

Ik ging tegen de muur aan liggen als ik ging slapen – ik ruik nog de geur van de pleisterkalk – om plaats voor haar te maken, en ik wenste haar welterusten met een zoen in de ruimte.

Mijn moeder begon zich zorgen te maken. Ik herinner me de snelle blikken die over mijn hoofd gewisseld werden op de dag dat ik aankondigde dat mijn vriendin Franca Carletto in het vervolg bij ons zou wonen en met mij zou eten, slapen en spelen.

Ik moet hun nageven dat ze nooit geprobeerd hebben haar te laten verdwijnen; ze voelden, met de intuïtie die ingegeven wordt door liefde, dat ik ze nooit zou hebben vergeven. Bovendien waren ze zich ervan bewust hoe moeilijk het was een denkbeeldig persoon te vernietigen die tegelijkertijd echt, alomtegenwoordig en ongrijpbaar was, en de dubbelzinnige status van elfen bezat en het foutloze gedrag dat alleen illusies eigen is. Zo accepteerden ze haar tenslotte, en gingen soms zover – wat ik verdacht vond – dat ze een bordje eten naast me op tafel zetten, of tactvol vroegen of mijn vriendin niet moe was van zo'n hele dag in de zon spelen en of het niet beter zou zijn haar voor te stellen om samen met mij te gaan rusten in de schaduw van de pijnbomen.

Via haar probeerden ze mij gewillig dingen te laten doen die ik eigenlijk niet wilde; maar al gauw had ik dat door, want ik was een slim en nieuwsgierig kind, ondanks mijn naïviteit. Ze hebben me nooit uitgelachen, en dat was belangrijk voor mij, want al is humor weldadig, een vals klinkend gelach kan dodelijk zijn, en de breekbaarheid van dromen kan niet op tegen de zweepslagen van de ironie.

Toen kwam er een jongetje in mijn leven. Hij was heel blond, met erg lichte ogen. Zijn ouders waren Zwitsers en meteen na de oorlog hadden ze in het dorp een grote antieke villa met mysterieuze bomen gekocht, niet ver van mijn opa's huis, en ze hadden vriendschap gesloten met mijn familie. Hij was even oud als ik, hij was net zo alleen als ik, en hij heette Raoul.

Ik herinner me nog goed de eerste keer dat hij bij me kwam spelen: hij kwam bijna rennend de schaduwrijke hal binnen, en in de zon achter hem leek zijn steile haar, dat met een scherpe haarspeld opzij op zijn hoge voorhoofd in bedwang gehouden werd, haast wit.

Hij droeg een korte leren broek, met een edelweiss op het leren borststuk geprikt, en ik vond dit het raarste kledingstuk dat ik ooit gezien had. Hij lachte en terwijl hij mij bij mijn hand pakte gaf hij me meteen een kus; daarna kreeg ik van hem een zilveren belletje, piepklein, als een miniatuurversie van de koebellen die de koeien aan hun hals hebben hangen zodat ze niet kwijtraken op de alpenweiden.

47

Toen ik dat aanpakte, en alles vergat uit blijdschap over zo'n zeld-zaam waardevol voorwerp, zag ik vanuit een ooghoek iets wegsnor-ren, zonder te beseffen wat dat was.

Uit een ooghoek, weet ik nu, zien we de gekste dingen, dingen die niet passen in onze conventies en in de afmetingen die wij kennen: verwelkte bloemen, onderdrukt gefluister, vervlogen gezichten, ver-schoten kant en witte figuurtjes die in het verleden zijn uitgesneden, gekonfijte viooltjes van het geheugen, vervlogen lavendelgeuren, ver-wachtingen waar we niet aan durven toe te geven en subtiele wee-moed waar de rede geen vat op heeft.

Zonder spijt, zoals het eigenlijk hoort, ging ik in de zon spelen met mijn nieuwe vriendje.

Pas jaren later, toen ik toevallig in een juwelenkistje van mijn moe-der het roetzwarte zilveren belletje vond en daarmee het besef van iets wat verloren gegaan was, herinnerde ik me mijn onzichtbare vriendin en het moment waarop ze verdwenen was.

VI

DE SNEEUW VAN VROEGER TIJDEN

Maar waar is de sneeuw van weleer?
FRANÇOIS VILLON, *Ballade des dames du temps jadis*

Waar we ook wonen en waarin we ook geloven, ons leven wordt beheerst door rituelen. Een van de belangrijkste daarvan is misschien wel de kerstviering, of we nu godsdienstig zijn of niet, want Kerstmis is een gelegenheid geworden om met een zekere regelmaat familie en vrienden te ontmoeten, cadeaus uit te wisselen en familie en vriendschap in ere te houden.

In de loop van de jaren heb ik veel kerstfeesten in Kenia doorgebracht, in de drukkende hitte van de kust, met koraaltakken in plaats van kerstbomen, versierd met zilverkleurig bespoten schelpen. De maaltijden bestonden uit grote lappen gegrilde *colo cole* en oesters van de rotsen, en de kerstman kwam op een kameel.

En toch zijn er in mijn leven kerstfeesten geweest die in zekere zin nog bijzonderder waren, die ik me levendiger herinner dan andere, ook al heeft de mist der tijden onvermijdelijk – zoals bij alles – de details vervaagd en de herinneringen ten dele verduisterd.

Van Kerstmis 1946, toen mijn zusje geboren werd, herinner ik me duidelijk drie dingen: de sneeuw, de kinkhoest en de geweldige kerststal van Gianfranco Mantovani, die wij liefdevol Dikkie noemden.

Dikkie was de enige zoon van de basisarts van het ziekenhuis van Crespano, en hij was tien jaar ouder dan ik. Toen moet hij dus dertien geweest zijn; hij had een passie voor motoren en alles wat met machines te maken had. Zijn kerststal was dan ook voorzien van een modern elektrisch treintje, dat over een kronkelig parcours tunnels in en uit ging, over bruggen reed, omhoogklom op bordpapieren heuvels,

49

om tenslotte zijn vaart te versnellen langs een stal waar een verbijsterde groep herders van gips op wonderen stond te wachten.

Het spoor nam een hele kamer in beslag. Dikkie bracht daar vele uren door, liggend op zijn buik, om zijn minilocomotieven en de met steentjes beladen wagons door onwaarschijnlijke landschappen te loodsen, waar kartonnen pijnbomen en palmen gebroederlijk verrezen, naast meren van stukjes spiegel, die in plukjes echt mos neergelegd waren.

De Mantovani's waren vrienden van ons – de vader was ook onze huisarts – en de villa waar ze woonden lag naast de onze. In de oorlog hadden we, omdat het altijd gevaarlijk was om in de speruren de openbare weg over te steken, een stuk van de heg tussen onze tuinen omgezaagd, zodat de families elkaar konden opzoeken zonder over de straat te hoeven lopen.

De gewoonte om op een stenen trapje te klimmen, dat daar speciaal voor dat doel was aangelegd, en dan over het lage muurtje te lopen, dat bedekt was met altijdgroene klimplanten op de plaats waar de heg was omgehakt, werd *saltar el mureto* (muurtjespringen) genoemd.

Zo gebeurde het dat Dikkie, die zoals alle jongens in de groei onverzadigbaar leek, als hij thuis al gegeten had, over het muurtje sprong en zich bij ons voegde voor het middag- of avondmaal. En natuurlijk at hij dan opnieuw.

Iedereen hield van hem, en na de oorlog zou hij veel tijd doorbrengen met mijn vader, die hem een ideale en enthousiaste metgezel vond voor wandelingen en skitochten in de met sneeuw bedekte heuvels in de omgeving.

Dit eerste kerstfeest na de terugkeer van mijn vader, was voor mij een magische periode: de eerste kerstboom van mijn leven en de geur van de pijnboomnaalden, de Engelse officier, Nicholson, die bij ons logeerde en van wie ik mijn eerste reep chocola kreeg en mijn bijnaam, die ik altijd zou houden: *Cookie*, geschreven Kuki.

Maar ook later, toen ik ouder werd, was Kerstmis nog altijd een geweldig feest.

Het werd aangekondigd met klokgelui dat in flarden door de gesloten luiken naar binnen kwam, in het grauwe licht van de ochtend van 24 december, de dag voor Kerstmis.

In de woonkamer stond de boom al klaar, versierd met stukjes zilverpapier en fragiele fantasievogels met hun exotische vormen, gemaakt van zilverkleurig en groen glas, met lange kromme snavels, die merkwaardig veel leken op die van de *sunbirds* aan de evenaar, die ik jaren later in Afrika zou waarnemen, als ze met een snel wiekgeklap de nectar uit de oranje aloë's zogen in mijn zonnige tuin.

In een hoek stond een stal, een onwaarschijnlijke wereld, gereconstrueerd in onze fantasie – hoe Bethlehem er werkelijk uitzag konden we ons alleen maar verbeelden – met geschilderde beeldjes van herders en vrouwen in lange gewaden, die met hun armen boven hun hoofd kruiken vasthielden, en met glazen vijvers, waarin ganzen van celluloid zwommen, met namaakgras, kamelen en kameeldrijvers, en een kleine kudde schapen, gehoed door een jongen in een lange jurk.

Een stal, een ezel, een os, een in het blauw geklede madonna met witte sluier, een bescheiden baardige Jozef in bruine pij, een lege krib waarin ze in de nacht stiekem een bloot roze kindeke Jezus zouden leggen, dat al wel vijf jaar oud leek, en dat wij kinderen de volgende dag zouden vinden.

Ze zouden me die dag geen ontbijt op bed brengen, want ik moest communie doen en daarom nuchter blijven vanaf twaalf uur 's nachts, en ik zou weldra het huis uitgaan om naar de vroegmis in de kathedraal te gaan, samen met de enige gezinsleden die naar de kerk gingen: oma, tante Vito en een dienstbode.

De kathedraal was stil en zag er in de vroege ochtend verlaten uit. In het zwakke saffier- en smaragdkleurige licht, dat binnenviel door de grote glas-in-loodramen versierd met verhalen uit het evangelie, liepen we de kerk in door een klein deurtje dat half schuilging achter het hoofdaltaar. En terwijl ik mijn kleine voetjes neerzette op de treden die uitgesleten waren door de afdrukken van wie weet hoeveel processies van gelovigen van eeuwen her, daalden we af in de crypte, met zijn muffe lucht van oude graven, wierook en vochtige stenen.

In een reeks opeenvolgende nissen met gewelven bevonden zich altaren, verlicht door honderden kaarsen, lijdende kruisbeelden en zilveren votiefharten, stoffige relikwieën en, in toonkisten met glazen deksels, beschimmelde skeletten van obscure heiligen die allang vergeten waren.

Oude vrouwtjes met hoofddoeken knielden onder het prevelen van gebeden, misdienaartjes die jonger waren dan ik zwaaiden met glimmende wierookvaten, de wierook steeg op in geurige wolken die doordrongen in iedere hoek, zwart gerokte priesters met stolen van witte kant hieven litanieën aan en zegenden kelken met gewijde wijn, en heidense spoken uit voorchristelijke rituelen leken op te stijgen uit de mist der eeuwen.

Buiten kleurde de kou onze wangen rood, de vrouw op de hoek, met haar grijze handschoenen zonder vingertopjes, verkocht gepofte kastanjes, en het huis van opa en oma wachtte: de verlichte keuken, de tafels boordevol met ingrediënten van voorgerechten die nog klaargemaakt moesten worden, baarzen, koppen mayonaise, bergen piepkleine garnalen die heel even gekookt waren en nu klaar lagen om gepeld te worden.

De lekkerste garnalen uit de Adriatische Zee, bijzonder fijn van smaak, waren roze, en zo klein als kindervingertjes. Mijn handen waren soepeler en sneller dan die van de volwassenen en daarom kreeg ik een schort voor en ging er trots bij zitten, om mee te helpen. Het was een Venetiaanse traditie om vis te eten op kerstavond, de zogenaamde 'magere maaltijd', en bij die gelegenheid was het menu in onze familie ieder jaar hetzelfde.

Cocktails van malse kreeften in aurorasaus, risotto met witte wijn gemaakt met een kruidige visbouillon, gestoomde baars met aardappelen klaargemaakt met peterselie, olijfolie en citroen; een massa van allerlei knabbeltjes en noga van hazelnoten en amandelen, bonbons, gedroogde abrikozen, pruimen, walnoten en marrons glacés als dessert.

Als alle gasten, en de neven en nichten, de ooms en tantes er waren en de aperitieven geserveerd waren, hoorden wij plotseling een hoefgetrappel op het terras en wij kinderen gingen stokstijf zitten in afwachting van de dingen die komen gingen.

'Het kindeke Jezus is gekomen!' riep dan iemand. 'Daar is zijn ezeltje.' De kerstman was nog een buitenlandse traditie, en pas jaren na de oorlog zou onder Amerikaanse invloed zijn blozende heidense gestalte de plaats innemen van de oude gewoonten.

De boom schitterde met honderd echte kaarsen en de cadeaus

waren al uitgestald als de kinderen in een lange stoet binnenkwamen met uitroepen van verbazing en voorpret.

De volgende dag zou het slaperige feestelijke kerstmaal bestaan uit tortellini in een rijke bouillon met een sherry-aroma, geroosterd parelhoen met een pepersaus, radicchio op de grill, honingzwammen, een romige tulband, champagne en vin santo.

Ieder jaar waren er dezelfde mensen, en iedereen kon op zijn manier het verstrijken van de tijd volgen aan de retouches die het fijne penseel van het leven aanbracht op de vertrouwde gezichten van degenen van wie wij hielden.

Als in een eindeloos vaak herhaalde opvoering zouden de kinderen van de jongere echtparen vanuit de witte deur rechts opkomen. De baby's zouden leren lopen, de kleine jongetjes zouden verstandiger worden, er zou dons op hun kin verschijnen, de meisjes zouden opbloeien tot jonge vrouwen die aandacht kregen voor hun uiterlijk, om vervolgens te rijpen tot volle, sensuele bloemen; de ouderen zouden nog ouder worden, hun haar spaarzamer, hun lichaam krommer, en sommigen zouden langzaam of plotseling verdwenen zijn door de zwarte deur links, om nooit meer deel uit te maken van deze lange reeks kerstmaaltijden.

Rondom de tafel blijven de stralende gezichten van mijn familie, verenigd in het bleke winterse licht, in mijn geest geprent staan als een daguerreotype, waarvan de schaduwen en nuances nooit geheel kunnen vervluchtigen.

De periode na Kerstmis was de heidense, vrolijke carnavalstijd, die toen in Italië nog uitbundig gevierd werd, met uitgebreide Venetiaanse maskers, muziek en maaltijden, kluwens opstijgende sterren, confetti en een overvloed van voedsel en maaltijden voordat de vastentijd aanbrak. Oma, die dol was op zoetigheid, blonk uit in het klaarmaken van de gebakken lekkernijen die typisch zijn voor deze periode van overvloed. Ze liet ze aanrukken op grote dienbladen voor mijn eerste jonge-meisjesfeesten: rozijnenbollen, *crostoli* met hun met vanillesuiker bestrooide zigzagranden, de zoete *castagnole*-balletjes met beboterde korst, beignets gevuld met lauwe sabayon, meringues van witte suiker met heel verse slagroom, krokante caramels met een paar schijfjes mandarijn, verse vijgen, druiven geregen aan houten spiesjes die in gebrande suiker waren gedompeld, en de geurige, lichtverteerbare *krapfen*, met een vulling van lauwwarme abrikozenjam die langs je kin droop als je niet uitkeek. Mijn eerste 'partijtjes' werden snel tot gastronomische banketbakkerstriomfen en de jongens, die hun rauwe jonge-haantjesstemmen nog niet kwijt waren, en altijd honger hadden door hun plotselinge groei in de puberteit, vergaten het dansen en hun volwassen houding waarmee ze indruk wilden maken en wierpen zich zonder schaamte op de lekkernijen.

Het andere grote feest was Pasen.

De paasstemming en de overvloed van eieren in dat seizoen werden ieder jaar aangekondigd door een gebak, altijd hetzelfde, dat mijn vader cadeau kreeg van een patiënt.

Het was een gele cake die vaag naar amandelen rook, bedekt met roze glazuur. Een echt ei, hardgekookt en lichtblauw geschilderd, stond in het midden en langs de rand stond een rij piepkleine suikereitjes in verschillende pasteltinten opgesteld.

Onmiddellijk daarna gingen wij dozijnen eieren beschilderen, kookten ze in met azijn aangelengd water om de kleur te fixeren en legden ze daarna op de tafels in kleine met papier gevoerde mandjes. Als we ze opaten, kwam het blauwgemarmerde eiwit tevoorschijn, als enorme spreeuweneieren.

Er heerste met Pasen een feeststemming, het ontwaken van de lente na een lange winter die we binnenshuis doorgebracht hadden. Met het lengen en het warmer worden van de dagen, verschenen er knoppen als gele sterren aan de takken van de forsythia's, krokussen en hyacinten verbraken de harde korst van de winterse aarde; wolken roze bloemen veranderden de perzik- en appelbomen waarmee de hellingen van de heuvels bespikkeld waren als op oosterse zijden kamerschermen; in het geheim kwamen er verse knoppen op uit de aarde; de margrieten en ranonkels, de viooltjes en de pluizige trossen mimosa vormden kransen langs de bermen van de sloten.

De wind verloor zijn bijtende kou en wij trokken nieuwe pastelkleurige jurken aan, terwijl oma haar verzameling zomerhoedjes etaleerde, versierd met duizenden soorten voiles en linten.

Maar ik had een hekel aan Goede Vrijdag, want traditiegetrouw bezocht oma dan zeven graven in zeven verschillende kerken en ze verwachtte dat ik met haar mee ging. De kerken lagen in het halfduister. Ook de rode lampen waren gedoofd. Die duidden op de aanwezigheid van de gewijde hostie in de tabernakels aan weerszijden van de altaren, die met paars bekleed waren als teken van rouw. De sfeer was bedrukt; de priesters waren gekleed in kale pijen met paarse stolen zonder het gewone borduursel, en voor het hoofdaltaar stonden vreselijke realistische beelden van zieltogende Christussen die zojuist van het kruis gehaald waren.

Sommige, misschien de meeste, waren meesterwerken van beroemde oude meesters, maar daar had ik absoluut geen boodschap aan.

Ik herinner me eindeloze rijen oude vrouwtjes met zwarte hoofddoeken om hun grijze hoofden, dames met handschoenen en hoeden, hun jassen afgezet met nerts of persianer bont; in mijn herinnering gingen vooral de vrouwen naar de kerk.

Als het mijn beurt was, knielde ik ook, en kuste, verstijfd, de lijkbleke stigmata die zich als bloemen openden in de handpalmen, waar de kromme vingers omheen klauwden, en die doorboord waren door de spijkers van het kruis. De wond van het zwaard in de uitgemergelde ribbenkast, de gaten in de magere voeten, waar enorme spijkers doorheen staken en waarop gipsen bloed gestold was, lagen koud tegen mijn opeengeklemde lippen.

Alle Jezussen hadden vriendelijke gelaatstrekken en waren getekend door lijden en doodsstrijd. Hun huid vertoonde nuances van groen en grijs en lag gespannen over de uitgeholde wangen, de ogen waren half gesloten, terwijl wrede, heel lange doornen het marmeren of houten voorhoofd pijnigden. Met hun lange verwarde haar deden ze denken aan oude hippies. Doodsbang als ik was hield ik mijn ogen stijf dicht, en verbeeldde me dat ik ergens anders was.

In de kapel van het Zanotti-college, waar ik door de week naar school ging, lagen twee nonnen urenlang voorover te bidden op de marmeren vloer, onbeweeglijk, met hun smekende armen boetvaardig uitgestoken langs hun zwart gesluierde hoofden.

Ik had willen weglopen, maar oma, van wie ik hield en die ik niet wilde kwetsen, hield mijn hand heel stevig vast.

VII

EEN AARDIGE JAGER

... en de jager, thuisgekomen uit de
heuvels.

R.L. STEVENSON, *Underwoods*

Er zijn smaken uit mijn jeugd die mij terugvoeren naar andere plaatsen en andere dagen: avonden rondom een haardvuur op het platteland, zittend op hoge stoelen, geglinster van koper en zilverwerk, de
smaak van gepofte kastanjes en nieuwe wijn, vogeltjes die langzaam
ronddraaien aan de pennen van een braadspit, siropen en limonades,
baicoli en likeur.

Wanneer de novembermist op het land optrok, en de wijnstokken
hard werden in de eerste ochtendvorst; wanneer er onverwacht gouden bollen aan de kromme, zwarte, oosters aandoende takken van de
kakibomen hingen, en het bevroren gras verdorde en ruw werd, ging
opa op de leeuwerikenjacht, met zijn steenuiltje en zijn draaiende
spiegel.

Dat vond ik enorm spannend.

De steenuil was een merkwaardige vogel, kalm, met grote, ronde,
gele ogen en zware oogleden die net als bij de mensen af en toe knipperden. Zijn aanwezigheid, in combinatie met het glinsteren van de
spiegel, trok zwermen vogels aan.

Vele jaren later in Afrika merkte ik dat de vogels hetzelfde gedrag
vertoonden tegenover slangen, alsof het gevaar hen opwond en aan-
trok.

Iedere keer dat we vogelgeschreeuw hoorden, een opgewonden
kakofonie van getjilp en geklapwiek boven onze drenkplaatsen of op
een van de struiken in de tuin, gingen we kijken, want heel waar-

schijnlijk probeerden de spreeuwen en de wevertjes de wereld te waarschuwen dat ze een slang gezien hadden.

De honden vormden dan een kring, merkwaardig genoeg net buiten bereik van de aanvallende slang, en gingen in koor blaffen, als een aanhoudend monotoon alarmsignaal.

De vogels concentreerden hun aandacht precies op de plek waar een pofadder zich sissend oprolde.

Op dezelfde manier kwamen stelletjes spreeuwen met lange staarten 's ochtends vroeg met strijdkreten hun spiegelbeeld aanvallen in de spiegels in de slaapkamers, waarbij ze de houten vensterbanken volkakten als we 's nachts vergeten waren de ramen dicht te doen.

De steenuil leefde op een dieet van gehakte kippenlevertjes, maar had de vezels van de veren van zijn prooidieren nodig voor zijn spijsvertering, en soms deelde hij snel en efficiënt een tamme duif in vier partjes. Even later spuugde hij dan een bolletje onverteerde veren uit, een vreemde harde bal, nat en plukkerig, waar een tovenaar mee zou kunnen toveren.

Ik werd getroffen en opgewonden door het ritueel van de voorbereidingen: opa vertrok heel vroeg in de ochtend, vergezeld door zijn chauffeur Costanzo, een paar wollen plaids als reserve in de kofferbak van zijn auto, een metalen thermosfles vol hete koffie in een leren koker en een picknickmand boordevol met allerlei broodjes, die ik voortreffelijk klaar kon maken: er waren ovale melkbroodjes bij, besmeerd met een laagje mosterd en opgevuld met pudding, onovertroffen ham van San Daniele en artisjokken in olie; ronde broodjes belegd met citroenmayonaise, stukjes tonijn, gehakte peterselie en een groene olijf als finishing touch. En volkoren sandwiches met provolone-kaas en rijpe tomaat, of salami met rucola. Er ging ook een flesje cognac mee, voor noodgevallen, en een doos bittere chocola, om 'ons bloed te verwarmen'.

Dezelfde avond keerde hij terug naar huis, waar hij met grote opwinding en uitroepen van *'El xe tornà!'* (hij is weer terug) werd opgewacht. Hij bracht vele dozijnen vogeltjes mee: lange snoeren bruine en koolzwarte veren.

De kopjes bungelden aan hun tere, dunne halsjes als we ze plukten en ondanks de opwinding van het ogenblik had ik een beetje met ze te doen.

De keuken vulde zich in korte tijd met veren, die wegdwarrelden uit de grote zinken emmers die we er speciaal voor op de vloer hadden neergezet, en op de marmeren tafels stapelde zich een berg vogellijfjes op.

Weldra zouden de leeuweriken, tussen plakken brood en blaadjes salie, aaneengeregen aan lange pennen, langzaam ronddraaien aan het grote braadspit van glanzend koper.

Ons huis zou vervuld worden van een heerlijke geur, en de vogeltjes, gretig en zonder spijt verslonden, zouden een koningsmaal vormen.

Mijn opa was vriendelijk van aard, hij was van nature kalm en voorzichtig, en zijn passie voor de jacht leek in tegenstelling te zijn met zijn vreedzame karakter.

Toch gebeurde er af en toe iets waardoor we een glimp van zijn ware aard konden opvangen.

Het huis van opa en oma had aan de achterkant een grote veranda die uitzag op de rivier de Sile, en overdekt was met een overdadige goudenregen.

In het droge jaargetij, als het waterpeil daalde en eilandjes van onwelriekend slik verschenen te midden van de lange groene algen van de rivier, zwommen er monsterlijke *panticana's* – zoetwaterratten zo groot als konijnen, met lange kale staarten – naar de wal en klommen langs de stam van de goudenregen omhoog om eten uit de keuken te roven.

Opa wachtte verheugd op dat ogenblik, want dat gaf hem het recht om zijn geweer ter hand te nemen; en dan begon hij, met een vreemde, koortsachtige, opgewonden blikkering in zijn goedaardige ogen, onder de geagiteerde smeekbeden van oma en tante die hem vroegen om toch vooral voorzichtig te zijn, op de ratten te schieten.

In mijn absolute bewondering voor hem, heeft dat geschiet midden in de stad, waar niemand aandacht aan leek te schenken, me nooit vreemd geleken. Maar als ik er nu aan terugdenk moet ik toegeven dat het toch een nogal merkwaardige gebeurtenis was, die helemaal niet paste bij de aardige, rustige man die ik kende.

VIII

KINDERJAREN, ALS HERINNERING VOOR EMANUELE

Witte kinderjaren, die als een zucht
door de groene bossen gaan.
w.h. AUDEN, *Nieuwjaarsbrief*

Mijn zoon Emanuele, toen nog een kind, en ik woonden nadat ik gescheiden was van mijn eerste man bij mijn moeder in een villa aan de oevers van de Brenta, in een plaats die Mira heette.

Een willekeurige dag, op goed geluk gekozen in de grote reeks van voorbije dagen die mijn leven waren.

Dit is jouw dag, Emanuele.

Laten we een novemberdag kiezen, in Mira.

De ochtend komt met koude handen en klopt op de ijskoude luiken die veel winters hebben gekend.

In mijn kamer, ingericht met antieke meubels en vloerkleden, het koperen en ijzeren bed dat me later zal volgen naar Afrika, maar nu glanst in het halfduister, arriveert de ochtend met het goedmoedige ronde gezichtje van Sandra, die vriendelijk glimlacht als ze mij mijn kopje thee brengt.

'Goedemorgen, mevrouw...' zegt ze, terwijl ze eerst het raam en dan de luiken opent en tegelijk een vlaag ijskoude ochtendlucht binnenlaat. Drie ramen en een loodgrijze lucht; en de grauwe mist hangt in mijn kamer als een dunne damp.

Ik neem slokjes van mijn citroenthee en neem haastig de krantenkoppen door.

Dan klop jij aan. Ik weet dat het jouw kleine kinderhand is, want ik heb het geren van je laatste stappen door de gang gehoord, voordat je voor mijn deur stil bleef staan.

Je kwam binnen. Met je lange fluwelen sloffen met randen, een blauwe trui en je witte bloes, met een bloezend kraagje als een laatste hardnekkige concessie aan je kleuterjaren.

Jouw steile haar en je pony over je intelligente, donkere ogen.

Zijn die ogen van jou ooit veranderd?

Zijn ze hun kinderlijke onschuld ooit kwijtgeraakt, of is die er misschien nooit geweest?

Er lag een wijsheid in jouw ogen waardoor ze ook op die willekeurig gekozen winterochtend al oud leken.

Je komt me begroeten, kust mij op mijn wang, je koele huid raakt de mijne een ogenblik aan, je vertelt me dat je buiten gaat spelen.

Cina, je kinderjuf, komt achter je aan, broodmager in haar rok en blauwe vest. Ze draagt je loden jas en je petje.

Je bent al weg en ik ga bij het raam staan om je na te kijken. Je loopt de stenen trap af tot aan het grind van de tuin, voorbij de stakerige rozenstruiken, die pas gesnoeid zijn, en nu ben je al het hek uit en loop je achter Cina aan over de weg naar het dorp.

Ik klop op de ruit om jouw aandacht te trekken, maar het ijzeren hek gaat achter jou dicht, de grijze mist lijkt je op te slokken, je hebt het klopje niet gehoord. Je bent al weg.

In die jaren volgden de dagen elkaar op in een soort vriendelijke nevel. Het was de tijd van afwachten, zodat de slapende zaden konden rijpen en de toekomst die voor je lag zich langzaam kon ontsluiten.

Ver, diep in jou begraven, lag al het verlangen naar een exotische wereld waarover je alleen maar gelezen had of mij over had horen vertellen.

Het was een wereld van fantastische dieren en van een ander soort mensen.

Een wereld van contrasten en van mateloze schoonheid. Van een oneindige ruimte, van oerwoud en bossen en savanne. Van voorhistorische meren en bergen van rozenkwarts en eilanden van zwart zand, van witte stranden en een blauwe oceaan, van palmen die bewegen in een voortdurende bries, baobabs als zuilen van verdwenen tempels.

Van olifanten die door het struikgewas kijken, als over een zee, van nijlpaarden die slapen aan de oevers van trage rivieren en van giraffes die de hoogste takken van de acacia's met hun platte top afrukken.

Waar de mensen wonen in hutten van gedroogde modder, die op broden lijken, of van gevlochten bladeren als omgekeerde gele en rode manden, of in huizen van rode aarde met strooien daken.

Mensen die hun heupen omwikkelen met doeken en die sieraden dragen van glasparels en huiden en veren van struisvogels en rood met zwarte dekens en lansen. Prachtige oermensen, die nog dicht bij de bron van alles zijn.

Zo ver mogelijk verwijderd van Mira.

In zekere zin was het een somber huis. De rij cipressen achter de lindenlaan was erg donker, omdat er een verlaten dorpskerkhof achter schuilging. In die hoek van de tuin hing nog de lugubere herinnering aan toen we het lichaam van Moshe vonden.

Moshe was een vrolijke bastaardhond geweest die tijdens een hevig onweer bij ons zijn toevlucht had gezocht voor de deur van ons huis. Ik had hem daar gevonden, rillend, nat tot op zijn gebeente, smekend om onderdak en zich verschuilend tussen rododendronstruiken aan de voet van de marmeren trap die naar de ingang leidde. Zijn ruige haar, zwartbruin met geel, verried zijn laag-bij-de-grondse afkomst. Hij was gaan liggen, met zijn lange staart om zich heen, en keek me aan met de zielige berusting van vondelingetjes die niets te verliezen hebben. Zijn ogen waren levendig, beweeglijk en smekend en ik was meteen weg van hem.

Ik houd van honden, ik begrijp ze, en natuurlijk hebben ze dat dadelijk door.

Ik deed de deur open, wikkelde hem in een deken, gaf hem warme melk onder de argwanende blikken van onze foxterriërs, die opstonden om hem eens goed te bekijken, hem nieuwsgierig te besnuffelen en die, toen ze besloten hadden dat hij geen bedreiging vormde, hem accepteerden met een vriendelijk geknor.

Ik droogde zijn hangoren, gaf hem een zoen op zijn vochtige zwarte neus en adopteerde hem. Ik noemde hem Moshe, want ik wist dat dat 'gered uit de wateren' betekent. Hij liep overal achter me aan, speelde met Emanuele en 's nachts sliep hij stilletjes op een oud versleten Perzisch kleedje aan het voeteneind van mijn bed.

In die dagen hadden we een knecht die helaas niet van honden hield. Hij had een opvliegend karakter dat hij verborg achter kruiperige en slaafse manieren en mijn instinct zei me dat hij niet te vertrouwen was. Zijn snobistische houding ten opzichte van dieren maakte dat hij alleen onze elegante foxterriërs duldde; vanaf het begin vond hij de aanwezigheid van Moshe onverdraaglijk en zonder dat wij het wisten begon hij een hardnekkige pestcampagne.

Ik ben nooit de hele martelgang van Moshe aan de weet gekomen, want Angelo was te slim om zijn ware aard te verraden, totdat Sandra alle details durfde te onthullen van wat er gebeurd was.

Het was tegen het eind van de winter dat ik merkte dat Moshe verdwenen was. We zochten overal naar hem, verspreidden het nieuws in het hele dorp en loofden een beloning uit voor degene die ons inlichtingen kon geven zodat we hem terug konden vinden.

Maar niemand had hem gezien. Angelo zei dat er een loopse teef in de buurt was geweest waar een sliert honden achteraan liep, en dus dachten we dat Moshe zich waarschijnlijk bij hen gevoegd had, en zoals hij gekomen was er ook weer vandoor gegaan was, als een zwerver gevolg gevend aan de aandrang van zijn zigeunernatuur, totdat hij misschien op de geasfalteerde weg onder een passerende auto gekomen was.

Weken later, op een lenteochtend – met ranonkels, margrieten en vergeet-mij-nietjes – waagde ik me met Emanuele in dat verre deel van onze tuin achter de wijngaarden waar wij niet vaak kwamen. Daar stond een hoge oude put van grijze steen uit Istrië, die al generaties lang in onbruik geraakt was.

Ik weet niet door welke nieuwsgierigheid ik gedreven werd om het rooster van de putopening te halen en erin te kijken. Maar het opgezwollen kadaver, dat op de donkere olieachtige oppervlakte beneden in de put dreef, met zijn onmiskenbare geel met zwarte huid, en de stank die eruit opsteeg, lieten geen twijfel over.

Met de hulp van de tuinman haalden we hem eruit. Het keukenmes dat in zijn rug stak liet mij hopen dat hij niet te veel geleden had voordat hij verdronken was. De late bekentenis van Sandra gaf opheldering.

Angelo kreeg van ons slechts de tijd om zijn koffer te pakken en de eerste bus naar Venetië te nemen.

Het huis van mijn moeder was ruim, een herenhuis, met een prachtige tuin. Het was een brede tuin, waarin de oude bomen lange schaduwen wierpen en het vroeg donker werd in de herfst en in de winter.

Emanuele speelde tussen die eenzame bomen avontuurlijke spelletjes, maar vooral in huis, in de lange november- of decembermiddagen, als de gele mist die uit de Brenta opsteeg de wereld verduisterde met stille dampen, draafde zijn fantasie ver weg, met de figuurtjes uit zijn duizenden verhalen.

Van mijn moeder mocht hij vrij gebruikmaken van de centrale ruimte op de bovenverdieping van haar huis, en dat was zijn domein geworden. Het was een grote zaal met een hoog plafond, en een plaveisel van oud Venetiaans terrazzowerk, dat deed denken aan een met beige amandelen bespikkeld koekje. Verder waren er nog versieringen van roze, zwarte en donkerrode arabesken. Hij was groot genoeg voor driewielerraces, en voor een steeds verder uitdijende fantasiewereld van oerwouden en heuvels, waar zijn plastic figuurtjes eindeloos de ruimte vonden.

Hij was gewend zichzelf – en wie er verder nog aanwezig was – ingewikkelde verhalen te vertellen over exotische plekken en vreemde dieren, waarbij hij vaak een passend deuntje neuriede.

Ik herinner me het begin van een van zijn favoriete liedjes: Plotseling komen uit de berg Kenia de cobra's vandaan, woeste cobra's.

De merkwaardige, onverklaarbare aankondiging van een vastliggende, al geschreven toekomst.

Emanuele. Er was iets in hem wat ik niet kon begrijpen, iets wat buiten de normale orde lag. Hij was wijs, oud voor zijn leeftijd, hij had herinneringen, en kon beter redeneren dan normaal was voor zijn jaren, ook al toen zijn nooit geknipte haarlokken nog over de piqué kraagjes krulden die door de nonnetjes geborduurd waren, en de rechte pony een schaduw over zijn ogen wierp.

'Emanuele! Emanuele, waar ben je? Emanuele, kom alsjeblieft. Het is laat!'

De ijle stem van Cina klonk ongerust door de lege gangen en de kleine salons waar in de vroege ochtend nog de geur hing van de schoorsteenrook van de vorige avond. Hij klonk uit de ramen die openstonden om de prikkelende oktoberlucht binnen te laten, voorbij het kleed van gele bladeren dat de lindenlaan met goud bekleedde, naar beneden langs de rij cipressen die het oude kerkhof verborg, voorbij de wijngaard en de put waar we Moshe hadden gevonden.

De ongeruste stem van mijn moeder voegde zich bij het geroep.

Alleen het zwijgen van de kikkers kwam als antwoord in de vroege ochtend.

Ik wist waar hij naartoe gegaan was. Er was een verstandhouding tussen ons, ook al waren we zo verschillend; het was alsof hij voordat hij mijn zoon werd mijn vriend uit een vorig leven was geweest, en de manier waarop zijn beweeglijke geest werkte, de complexiteit van zijn geheime ziel waren voor mij geen mysterie.

Er stond een oude kromme treurwilg waarvan de neerhangende takken nog niet kaal waren door de eerste herfstwinden. Hij groeide in een hoek van het middelste gazon, gebogen over zijn loof, een ideale schuilplaats voor een jongetje dat niet wil dat ze hem vinden.

In het verleden, in het verre Crespano, klom ik als kind in de tuin van mijn opa ook in de geurige schaduw van een appelboom om lekker te kunnen dromen. Nu ging ik zonder aarzeling naar de wilg.

Tussen de bleekgroene bladeren zag ik donkere ogen, een klein gezichtje loerde naar me, bleek en gespannen als een gevangen *bush baby*. Een zwart schortje, een rond wit kraagje, een blauwe strik. Zijn eerste uniform.

Ik voelde een steek door mijn hart gaan. Ik wilde niet degene zijn die een eind aan zijn kinderjaren zou maken. Maar toch moest het.

'Kom naar beneden,' zei ik zachtjes tegen hem. 'Wees niet ongerust. Je zult zien dat het best zal gaan. Vroeg of laat moet je toch naar school.'

Ik was ook nog te jong, het leven had me nog niet zijn ware lessen geleerd, om te beseffen wat een wrede enormiteit ik tegen hem zei.

Hij was vijf. Pas veel later las ik bij Lyall Watson: 'Ieder kind van vijf weet al alles wat hij moet weten... dan sturen we hem naar school en zo begint de vrucht te rotten.'

IX

OP WEG NAAR AFRIKA

'Loopt u maar, loopt u maar, tot achter in de kamer.' Zijn stem straalde gezag uit, maar was vriendelijk. 'Nee, zonder krukken.'

Professor Müller trok van onder mijn oksels de lange metalen krukken weg, die ik zo langzamerhand als een deel van mijn lichaam beschouwde.

In de zomer van 1969 was ik betrokken bij een tragisch auto-ongeluk waardoor mijn linkerbeen verbrijzeld was en ik een paar jaar invalide zou zijn.

Door een reeks medische fouten was mijn toestand verergerd, totdat ik hem gevonden had: zonder enige twijfel de grootste expert op dit gebied. Hij opereerde in Bern.

Hij hield de röntgenfoto nog eens tegen het licht.

'Marchez.'

Ik strompelde als een gewonde eend, huppelend op mijn kortste been.

Toen ik me omdraaide, zag ik dat hij zijn voorhoofd fronste.

Voordat hij zich bereid verklaarde mij te onderzoeken had hij al zorgvuldig mijn foto's bestudeerd. Ik was een 'interessant geval'.

Ik had begrepen dat hij, net als een beeldhouwer die bij het zien van een klont klei al bedenkt wat voor beeld hij zal maken, of als een architect die de ingewikkelde herbouw van een beschadigd gebouw ontwerpt, al precies wist wat hij zou doen, wat voor problemen hij tegen zou kunnen komen en hoe hij die zou kunnen oplossen.

Ik keek naar hem met een uitdrukking van volmaakt vertrouwen. Hij vormde mijn enige hoop dat ik ooit weer normaal zou lopen. Ik wilde tot elke prijs beter worden, niet alleen omdat ik jong was, maar ook omdat de jaren van mijn moeizame genezing mij dichter bij Paolo hadden gebracht.

Paolo was met lichte tred in mijn leven gekomen, als een ridder uit oude tijden of een flamencodanser: hij had muziek en zonlicht, verhalen en hoop meegebracht, en hij had mij behekst. Ik was verliefd op Paolo en dat betekende avontuur en Afrika, waar hij vroeger gewoond had en waarheen hij wilde terugkeren.

Professor Müller was de beste chirurg voor het soort complexe breuk dat ik had en de enige die de ellende van foute operaties en nutteloos zwaar gips zou kunnen verhelpen.

De enige die mijn verschrompelde kromme been recht zou kunnen zetten, en me opnieuw zou kunnen laten lopen.

Hij keek gespannen naar me.

Smalle snor, levendige, intelligente ogen.

'U moet nog drie of misschien nog vier keer geopereerd worden.' Hij pauzeerde om te zien wat voor uitwerking zijn woorden hadden.

Ik had een gevoel of ik doodging. Vier operaties leken een eeuwigheid, ook al was ik nu al meer dan een jaar invalide.

Hij moest al heel oud zijn, maar voor mij, die nog zo jong was, leek het of die legendarische chirurg, wiens reputatie van vernieuwer en haast van magiër mij tenslotte hier gebracht had, geen leeftijd had.

Hij was mijn enige hoop. Vier operaties. Een geringe prijs om te betalen voor de vrijheid. Want ik wilde niets liever dan naar Kenia gaan. Ik knikte bevestigend en keek hem recht in de ogen, zonder met mijn oogleden te knipperen.

'Goed dan. Vier operaties.'

'Het zal niet gemakkelijk zijn.' Hij keek mij aandachtig aan, en tilde moeizaam een wenkbrauw op. 'Het kan wel, maar u moet me helpen. U bent te jong om al invalide te zijn.'

Te jong. Ik was zesentwintig, Emanuele was vier, en tot dusver had ik gedacht dat ik uit een lange slaap zou ontwaken om me te realiseren dat ik heel waarschijnlijk voor de rest van mijn leven invalide zou blijven.

Ik kon me niet veroorloven mank te lopen. Ik wilde met Paolo naar Afrika. Dat was het enige dat telde. Ik beantwoordde zijn blik en ik geloof dat ik geglimlacht heb. Ik had een brok in mijn keel.
'Dank u,' was alles wat ik uit kon brengen.

Het licht boven mij verblindde me. Ik knipperde met mijn oogleden. Ik voelde de golf van vermoeidheid van de inleidende verdoving al op me drukken.
Ik keek omhoog: het vriendelijke, intelligente gezicht glimlachte. Beweeglijke, donkere ogen. Zijn snor ging schuil onder zijn mondkapje. Hij pakte mijn hand en drukte die bemoedigend. Ik stond verbaasd over de kracht die in die kleine hand lag.
'U redt het wel. Ziet u?' Zijn zangerige Zwitserse accent in een verder onberispelijk Frans. Hij zwaaide met een soort centimeter.
'Uw ene been wordt precies zo lang als het andere.'
De bruine ogen knipoogden. Een naald gleed in mijn arm.
'*Maintenant, contez avec moi. Jusqu'à six. Un, deux...*' ik ademde diep in en herhaalde met hem: '*... trois, quatre, cinq...*'
Tot zes ben ik niet gekomen.

Ik werd wakker in mijn ziekenhuisbed; een paar uren van mijn leven waren voorgoed verdwenen uit mijn bewustzijn.
Mijn been was zwaar, het klopte, en leek opgezwollen, maar het deed geen pijn.
Het eerste wat ik zag waren de gardenia's. Een grote struik vol crèmekleurige bloemen leek de hele kamer met zijn geuren te vullen.
De geur overstemde de lucht van het desinfecteermiddel, en gaf aan de steriele strakheid van de kamer en de grauwheid die door de ramen filterde de stralende gloed van de Middellandse Zee. Ook zonder dat ik het kaartje las dat aan een tak hing, wist ik dat de bloemen door Paolo gestuurd waren.
Mijn moeder keek me bezorgd aan. Ze was komen helpen, onbaatzuchtig en discreet als altijd.

69

'Een operatie die veel langer duurde dan ze gedacht hadden; ze hebben er twee tegelijk moeten doen. Vier uur... Nu komen er nog twee operaties... elk jaar één.'

Ze keek me aandachtig aan. Mijn uitdrukking stelde haar gerust.

'Paolo heeft uit Italië gebeld, morgen is hij hier.'

Opgelucht glimlachte ze tegen mij.

'Hij vroeg me je dit te geven.'

Uit een pakje wit pakpapier kwam een paar oude schaatsen tevoorschijn, aan elkaar gebonden met een rood lint; de oude afgesleten ijzers zaten vast aan een houten onderstel. Symbolische schaatsen om vrij te glijden, niet langer invalide, haast vliegend. Ik glimlachte. De dichter in Paolo.

In zijn vlotte handschrift had Paolo op een van de schaatsen in woorden die haast in het hout gegrift leken, geschreven:

'Omdat jij mijn *niña* was.'

De deur ging langzaam open en professor Müller kwam binnen. Met zijn operatieschort nog aan liep hij resoluut naar mijn bed.

Gewend als ik was aan de gewichtigheid van de Italiaanse hoogleraren, die met een gevolg van een grote stoet onderdanige assistenten en met scharen verpleegsters binnenkwamen, werd ik altijd weer verrast door zijn informele eenvoud. Hij had al die drukte niet nodig.

'*La beauté... ça va?* Staat u eens op en laat me zien hoe u loopt.'

Ik weet nog hoe ongelovig, hoe bang en hoe onzeker ik was. Meteen na zo'n soort operatie opstaan en lopen leek een onmogelijke onderneming.

Hij hielp me overeind te gaan zitten en maakte de infuuszak en de buisjes aan mijn ziekenhuisjas vast. Hij pakte me bij de hand. Ik stond op.

Ziekenhuisgeuren, vogels die tegen mijn raam pikten, het gevoel dat er een glimlach over zijn donkere snorretje gleed, zijn glanzende ogen, zijn stevige handen, mijn omzwachtelde been, hoop, angst, vertrouwen.

In die witte, staalkleurige ziekenhuiskamer van de Lindenhof zette ik op een junimiddag van 1970 op een vloer van grijs linoleum, met een dansend hart, de eerste aarzelende stappen van mijn nieuwe leven, niet langer als invalide, de eerste stap op mijn weg naar Afrika.

Op een dag zou ik op het zand van verre woestijnen lopen. De lavarotsen aan de noordelijke grens, de koraalriffen in de Indische Oceaan, de grazige vlakten van de savanne, de kloven in het dal van de Grote Rift.

Op een dag, al gauw, zou ik in Kenia aankomen.

DEEL II

I

DE PLAATS VAN HET DONKERE WATER

Ille terrarum mihi prater omnis angulus ridet.*
HORATIUS, *Oden* II, VI, 13

In het begin van de jaren zeventig zijn Paolo en ik getrouwd en gingen we in Kenia wonen. Na een paar jaar kochten we een uitgestrekt landgoed op de hoogvlakte van Laikipia, Ol ari Nyiro.

Ol ari Nyiro strekte zich uit over de heuvels en de savanne die bezaaid was met acaciabomen, tot aan Enghelesha, het woud met hoge wilde olijven en rode ceders, waar de prachtige zeldzame colobusaapjes zich verschuilden. Aan de zuidkant grensde het aan het voorhistorische kale land van de Tugens, in het oosten aan Mwenje, Sipili en Ol Morani, in het noorden aan het groene Luoniek, en in het westen glooide het triomfantelijk af in de richting van het Riftdal.

De naam betekent: de plaats van het donkere water. In de diepe dalen borrelden bronnen wonderlijk doorschijnend donkergroen water op uit aardlagen die door de tijd uitgehold waren in de granietrotsen, stortten zich langs met aloë bedekte ravijnen naar beneden, en mondden uit in smalle bergbeken, die samenkwamen in stilstaande poelen en die bezocht werden door troepen bavianen.

Als de regens kwamen, vormden zich her en der verspreid over de ruige oppervlakte van de wijde savanne grote plassen, waar allerlei dieren kwamen drinken en spartelen. Zo maakten ze er modderbaden van, waarin ze zich opgetogen wentelden om zich te bevrijden van de hardnekkige teken die hen plaagden.

---

* Dat hoekje aarde glimlacht me meer toe dan ieder ander.

De modder droogde in de zon op hun dikke vacht, en vertoonde dan een netwerk van stoffige barsten, waarin de insecten, volgezogen met bloed, vast kwamen te zitten. Dan vonden ze een acaciastam en schurkten genotvol tegen de ruwe bast tot de modder afbrokkelde en op de grond viel met zijn verschrikte gevangenen.

De rotsspleet heette Mukutan, wat 'ontmoeting' betekent. Hij stortte zich naar beneden van een hoogte van meer dan 2000 meter naar 900 meter, en in de dramatische diepten, beschut tegen de wind, leefde een andere wereld, van zeldzame planten en schuchtere dieren, en mythische vogels met rode vleugels.

Een stroom water kronkelde langs de Mukutan, een kromme beek met drie of vier watervallen – of misschien veel meer, want het terrein was in mijn tijd nog niet verkend –, snelle bergstromen en kalme trage moerassige gedeelten, met hoog, ruig gras, waar reigers, lepelaars en wolhalsooievaars kwamen vissen en de koppige hamerkopvogels hun enorme nesten bouwden in de hoogste takken van de gelekoortsacacia's.

Beide zijden van het ravijn waren spectaculaire steile wanden, waar lianen en wilde aloë's, palmen en vijgenbomen groeiden in tropische kluwens, en waar Kaapse paardekastanjes bloeiden na de grote regens, en het gele gras overdekten met felroze vlezige knoppen.

We wisten dat grote pythons hun nesten hadden in de stille poelen achter in de Mukutan, en smaragdgroene slangen en dikke schildpadden met enorme schubben, die de last en de wijsheid der eeuwen torsten.

Hier kwamen de schuwe *bush bucks* drinken, ze proefden het verse water, aarzelend en voorzichtig, en hier ontmoetten de zwarte neushoorns elkaar, diep in de nacht of in het zilveren schijnsel van de volle maan, om aan het zout van de *salt lick* te likken en om het geheime paringsritueel uit te voeren, waarbij ze zich alleen verrieden door het verbazingwekkend zachte hijgen van hun lokroep.

Vaak zagen we de buffels.

Ol ari Nyiro was beroemd omdat er zoveel van deze donkere massieve beesten rondliepen, met hun machtige nek en enorme hoorns. Weliswaar zagen ze er bijzonder tam uit, zoals alle runderen, en wekten ze ten onrechte de indruk dat ze geen kwaad deden, maar in werkelijkheid waren ze gevaarlijker dan welk ander dier dan ook.

Op het heetst van de dag zag je ze niet, als ze zich verborgen hielden om te slapen in de dichte *lelechwa* die een groot deel van de ranch bedekte. Je kon zo op ze trappen als je door het struikgewas liep. Maar 's avonds kwamen ze tevoorschijn om in de meren en beken hun dorst te lessen.

Als je tegen zonsondergang in je auto rondreed, wemelde de *bogani* (vlakte) na een bocht in de rijweg plotseling van hun donkere gestalten. Grote nieuwsgierige snuiten verhieven zich in de dichte euclea. Machtige stieren met massieve hoorns, hun flanken onder de modderkorsten, en koeien met ronde hoorns kwamen, gevolgd door bruine, jonge kalfjes, uit de struiken tevoorschijn en liepen op ons af. Ze leken noch dreigend noch schuchter, en stonden daar dan eindeloos lang zonder zich te verroeren en hielden ons in de gaten. Daarna gaf de oudste stier een geheimzinnig teken, zonder geluid te maken, draaide met angstwekkende soepelheid om en verdween met een herhaald machtig gesnuif, gevolgd door de hele kudde.

In een oogwenk waren ze verdwenen.

Het donderend geluid van de rotsblokken die onder de hoeven van een kudde rennende buffels wegrolden was typisch voor de bush van Ol ari Nyiro. En ook het getrompetter en de knorrende magen van de olifanten, waardoor deze dikhuiden, die anders zo stil en soepel zijn, hun aanwezigheid verrieden. Met honderden exemplaren hoorden ze tot de meest verbreide diersoorten van Ol ari Nyiro.

We bouwden ons huis op een hooggelegen plek, in een zone die Kuti heette, op een hard rotsachtig terrein dat op de savanne uitzag, waar ik met moeite een tuin en een moestuin kon inrichten en waar ik generaties Duitse herders fokte. De eerste daarvan was een aanhankelijke, trouwe reu, die Gordon heette.

In het droge seizoen drongen de olifanten iedere nacht door tot in mijn tuin, aangelokt door het groene gras en de geur van de rijpe bananen en de guaves uit de moestuin.

De *askari* verjoeg ze met behulp van mijn honden en zijn katapult. Als de kudde groter was dan normaal of als er een bepaalde oude olifant bij was, die een passie ontwikkeld had voor courgettes, klopte hij fanatiek op mijn deur en vroeg me om hulp:

'*Kuja kusaidia: ndofu nainghia shamba.*' Kom mij helpen, de olifanten zijn in de tuin. Dan stak ik mijn kaars aan, laadde mijn geweer en met een fakkel in mijn hand volgde ik hem de nacht in. De honden liepen achter ons aan, zonder geluid te maken.

Ik sloop achter de keuken langs, uitkijkend om niet over een greppel of een tak te struikelen, tot de askari stilstond en ik ook bleef staan, om te luisteren.

In het pikdonker, waar ik me onwennig en machteloos voelde, hoorde ik hoe er een tak brak onder een zware poot, hoe ritselende bladeren beetgepakt werden door een onzichtbare slurf, hoe een enorme maag een onderdrukt gerommel liet horen. In het zwakke licht van de fakkel die door de oude Lauren omhooggehouden werd, richtte ik achter een enorme gestalte die vreedzaam stond te grazen en de groente verorberde die ik met pijn en moeite gekweekt had.

Het lawaai van het geweerschot verstoorde de nachtkrekels, mijn middelvinger deed pijn, geplet door de terugslag van het geweer, de olifant ging er verontwaardigd trompetterend vandoor en vluchtte de struiken in met een gekraak van takken – tot de volgende nacht – en met koude, natte voeten keerde ik terug naar mijn nog warme bed, in de hoop de verloren slaap in te halen.

De mystieke kracht van Ol ari Nyiro is dat die uitgestrekte ruimte nog ongerept is, dat je het gevoel hebt dat je de enige bent die de aarde ziet zoals ze was aan het begin der tijden, en vooral dat het landschap er nog erg puur uitziet.

Er schemerde een goudgeel licht in de pluimen van de gele-koortsacacia die in de dalen groeiden, en er heerste stilte in de schaduwen van het woud, waar je op de toppen van de loofbomen vol ontzag de zeldzame zwart-witte colobusaapjes van de ene ceder op de andere kon zien springen, de enige overlevenden van de troepen die een kwart eeuw geleden welig tierden op het landgoed van de Buonajuti's, achter de heuvel van Enghelesha.

Ik was gefascineerd door de schoonheid en de verscheidenheid van dit vreemde en toch zo vertrouwde land. Vanaf het begin werd ik geleid door liefde en nieuwsgierigheid, een diepgaand gevoel dat ik hier thuishoorde en er niet voor het eerst was, en door verantwoordelijkheid. Vandaar mijn streven om alles te doen wat in mijn vermogen lag om de harmonie ervan voorgoed te behouden.

Als je lang genoeg in Afrika bent, krijg je een bijnaam.

Het is de naam waarmee de mensen ons gaan aanspreken en die heeft te maken met een uiterlijk kenmerk, met onze manier van doen of bewegen of met een bepaalde fysieke eigenaardigheid.

Gatwele was het die mij het eerst 'Nyawera' noemde: de harde werkster.

In het begin was er van alles te doen: het huis moest gebouwd worden, de tuin, de boomgaard en de moestuin moesten aangelegd worden, de ranch moest beheerd worden.

Ik stond 's ochtends vroeg op en werkte de hele dag, en ik denk dat ik in de loop van de jaren, met alle nieuwe projecten, de stichting, de nieuwe gebouwen, en tenslotte mijn boeken, mijn bijnaam dubbel en dwars verdiend heb.

Gatwele was een jonge Kikuyu die bij ons was komen werken toen onze buurvrouw, Antonietta Buonajuti, na de dood van haar man Giannetto, haar landgoed Colobus verkocht had, met achterlating van de cederheuvels, de meren vol vis, het huisje gemaakt van planken van de rode *mutaragwa*, te midden van het dichte groen van een dal vol majestueuze *podo*-bomen, dat ze met liefde en geduld omgevormd had tot een tuin met blauwe jacaranda's en prachtige bloemen.

Daar had Antonietta op een ochtend, een paar weken na de begrafenis van Giannetto, op het gras voor de grootste veranda een gekeelde kip gevonden, die aan een soort macaber staketsel van botten, veren en een antilopenschedel hing.

Terwijl ze achter de vertrouwde bloemperken met lila canna's en glanzend blauwe Kaapse lelies dat griezelige voorwerp zag dat daar niet thuishoorde, besefte ze vol afgrijzen dat dat hekserij was, om haar bang te maken en op de vlucht te jagen.

Ze riep haar tuinlieden en beval hun dat lugubere voodoo-teken te verwijderen, maar geen van de vrouwen die in de greppel onkruid stonden te wieden kwam naar voren.

Er heerste een onwezenlijke stilte waarvan een merkwaardige dreiging uitging, alsof de hele wereld afwachtte wat er zou gebeuren.

Gatwele was de enige die op haar geroep kwam aanrennen, maar toen hij aan de rand van de open plek was aangekomen hield hij ineens stil, verbijsterd door wat hij zag en meteen herkende.

Zij wist dat vanuit het hoge, dichte olifantengras aan de rand van het woud vele ogen haar bespiedden.

Ze overwon haar afschuw en impulsief, in de wetenschap dat niemand mocht zien hoe bang ze was, stapte ze, met de lange kamerjas die om haar slanke enkels flapperde, met snelle tred het houten trapje af in de richting van 'het ding'.

'*Hapana!*' schreeuwde Gatwele waarschuwend. '*Hapana kamata hio. Ni haramu.*' Niet aankomen. Het is betoverd.

'Onzin! Bijgeloof! Dat zijn alleen maar een paar botjes en veren. Jullie zijn me een stel lafbekken! Als jullie bang zijn, zal ik jullie eens laten zien dat ik niet bang ben.'

En met een breed gebaar trapte ze de botjes weg en smeet het kippenkadaver de struiken in. Als goede katholiek sloeg ze toch ook maar vlug een kruisje, voor alle zekerheid.

Een hijgend geluid, alsof de onzichtbare toeschouwers allemaal tegelijk hun adem hadden ingehouden, was het antwoord op haar gebaar: het was of het woud zelf ademhaalde.

'O, *memsaab,*' mompelde Gatwele ontroostbaar, 'dat had je niet moeten doen. Nu komt er geen eind meer aan het ongeluk tot je weg bent.'

Dat was het eerste teken. Een paar dagen later, vroeg in de ochtend, stond er een geitenkop op een piek op haar te wachten.

Terwijl ze dat onmiskenbare onheilsteken dat haar met zijn dode ogen aanstaarde in de gaten hield, alsof zij ver weg in de nevelflarden van de ochtend in het niets verdween, besefte ze ineens dat ze geen rust zou kennen voor ze het zou hebben opgegeven. Wat ze wilden was haar land.

Later in die week vroeg een vrouw die bezig was struiken te snoeien haar om hulp. Haar *panga* was in een verrotte boom gevallen en ze kon er niet bij. Antonietta keek in het holle gat van de *podo* en hoorde het gesis pas toen het te laat was. De cobra die daarbinnen opgerold lag schoot op de beweging af, zijn giftige speeksel verblindde haar en tegelijkertijd werd ze als door een zweepslag getroffen door een felle pijn.

Terwijl Antonietta in het gras viel, met brandende ogen, wist ze absoluut zeker dat het nu nog maar een kwestie van tijd was. Na weken in het ziekenhuis – haar gezichtsvermogen voorgoed vertroebeld – keerde ze terug met een nieuwe bril op, ter bescherming van haar prachtige groene ogen.

Dat jaar verdorde de oogst door de droogte, en ontstonden er hevige branden in het droge gras, gevolgd door overstromingen, epidemieën van parasieten en zwermen sprinkhanen. Het vee werd ziek, het graan werd zwart en er groeiden vreemde schimmels op. De ene ramp na de andere trof de boerderij, en na geruime tijd accepteerde ze, uitgeput, alleen en ziek, een bod en verkocht.

Ik ben die les nooit vergeten.

Terwijl haar land in kavels verdeeld werd, en de oude ceders een voor een aan de cirkelzagen van de nieuwe boeren ten prooi vielen, en wonden achterlieten die nooit meer zouden helen, sloegen haar wilde dieren verdwaasd op de vlucht en vonden een schuilplaats in mijn stuk van het bos. Ook de mensen die voor haar gewerkt hadden kwamen de grens met Ol ari Nyiro over, op zoek naar werk. Voor hen was het de gewoonste zaak van de wereld om naar mij toe te komen, want ik was ook een Italiaanse en ze konden verwachten dat ze net zulk werk zouden vinden als ze gewend waren.

We konden moeilijk weigeren en namen verschillenden van hen in dienst, maar helaas niet haar kok Kipsoi, die nu helemaal opging in de verslaving aan de *chagaa* en absoluut niet meer in staat was om te werken.

Gatwele was van goede wil, een harde werker en eerbiedig zoals men dat vroeger was. Bij Antonietta was het zijn taak geweest om de tuin te verzorgen, maar hij had ook alle mogelijke karweitjes aangepakt, van het villen van het wild tot het verzamelen van brandhout. Hij was meteen bereid huisknecht te worden, en al gauw vervulde hij opgewekt en uitstekend zijn taak. Maar koken was zijn geheime passie en gaandeweg werd hij zeer bedreven in het bereiden van Italiaanse gerechten.

Toen we, na ons in Ol ari Nyiro gevestigd te hebben, Afrika echt begonnen te ontdekken, keek ik met nieuwsgierige en gefascineerde ogen om mij heen. Ik vond er schatten.

Er waren dieren van een buitengewone schoonheid. Niet alleen de grote dieren, die in de Afrikaanse bush thuishoorden, zoals de imposante olifant, de voorhistorische zwarte neushoorn, de bizarre, slome giraffe; er waren ook leeuwenwelpen en ijsvogeltjes met hun turquoise kopje en paarse borst, vosjes-met-vleermuizenoren en caracals met schuine topazen ogen.

Er waren ook kleinere dieren, waar je doorgaans niet bij blijft staan kijken. Mestkevers bijvoorbeeld, die moeizaam grote ballen olifantenmest over de paden rolden, of gele vlinders die de dauw opzogen, fijn en trillend als bloemblaadjes van de primula die neergevallen zijn op verse buffelvlaaien; er waren smaragdgroene bidsprinkhanen en wandelende takken, die hun kleur perfect hadden aangepast aan de acaciabast waar ze op leefden; de saffierkleurige spreeuwen en de piepkleine kolibries, fonkelend als juwelen, met hun karmijnrode buik, hun groene kop en hun zwarte veren, die zich waagden in de oranje bloemen van de aloë die ik in grote koperen potten in mijn woonkamer had gezet en waar ze de nectar uit opzogen.

Ik hield mijn theekopje stil in de lucht, om hun gracieuze bewegingen te bekijken als ze hun lange kromme snavel diep in de bloemkelken staken om daar in extase de goudgele nectar uit te zuigen.

Ik stond verbaasd over de eindeloze variatie en ingewikkelde perfectie van piepkleine bloemen, zoals de hemelsblauwe comelina, de crèmekleurige jasmijn, of de crossandra met zijn felrode trossen, die onder de dichte eucleastruiken tussen de *lelechwa* bloeiden als de grote regens begonnen waren.

En er waren de eetbare planten, waarvan ik zag dat de mensen ze verzamelden en ze mee naar huis namen om op te eten.

Ik probeerde dat ook te doen en toen ontdekte ik dat sommige van die bladeren, vruchten en wortels gebruikt konden worden ter vervanging van andere ingrediënten die mij vertrouwder waren, zoals bosbessen en de geurige heerlijke vruchten van de carissa, die in de wintermaanden aan de evenaar rijpten. De hartvormige wilde spinazie waar de olifanten zo dol op waren kon best de Italiaanse spinazie vervangen; de rivierkreeften kwamen in plaats van de garnalen, en de malse lange lapjes van de elandantilope vervingen onze runderlapjes.

En toen op een gelukkige dag kwam Simon Itot, een jonge Turkana van pas achttien jaar, trots en fier, welopgevoed en met hoffelijke manieren, als kok bij ons in dienst, en door hem kreeg ik een stimulans om onze keuken te verbeteren en uit te breiden en om het koken weer tot een avontuur te maken.

Zoals veel Afrikanen had ook Simon een feeling voor kleur en decoratie, en het werd een gewoonte voor hem om de gerechten te versieren met bloemen en bladeren. Hij perfectioneerde die kunst en blonk erin uit.

Zelf heb ik het altijd moeilijk gevonden om volgens een recept te werken, waarschijnlijk omdat ik koken geleerd had door ernaar te kijken en het dus niet systematisch heb hoeven leren. In Afrika was het merendeel van de ingrediënten waarmee ik vertrouwd was toch al onvindbaar, en we bevonden ons op honderden kilometers afstand van de winkels, in het dichtste gedeelte van de bush aan de evenaar.

Geleidelijk zou ik een moestuin inrichten, die ik uitkapte in een dichte wirwar van bramen en dorens, waar de jonge kiemen, bemest met olifantenpoep die we in de buurt verzamelden, goed gedijden. Maar het duurde jaren voordat een hele serie insecten van allerlei soorten, vormen en afmetingen, en andere dieren, van de vogels tot de dikdik, van de stekelvarkens tot de bavianen en de olifanten, de exotische smaak van mijn groenten niet langer konden weerstaan, en wij dag en nacht op wacht moesten staan bij wat wij gepoot hadden, vaak onverrichter zake.

Ik leerde daarom allerlei smaken uit te proberen en te improviseren met ieder ingrediënt dat we in het wild konden vinden, waarbij ik oude recepten aanpaste en er nieuwe bij verzon. De dingen die ik in het woud vond aan te passen aan de mij vertrouwde keuken was voor mij al een leuke, creatieve bezigheid. Het maakte deel uit van het leven dat ik gekozen had, van de talen die ik moest leren, van de verschillende tradities die gerespecteerd moesten worden, van de natuur die mij omgaf met haar gaven en mysteries, van het feit dat dit nu Afrika was.

II

WEES DE PELIKANEN VOOR

Thuis is de visser, thuisgekomen van zee.
R.L. STEVENSON, *Underwoods*

Paolo was een man van de zee. Zijn ogen hadden de kleur van de oceaan, donkerblauw met een groene glans, en vissen was zijn passie.

In Italië, in het dal van de Cavallino, waar zijn bedrijf lag, aan de lagune van Venetië, had Paolo deze passie ontwikkeld tot een bruisende activiteit. Via een complex en spannend systeem van sluizen en kanalen kweekte hij baarzen, goudbaarzen en palingen zo groot als slangen. Ook daar, in dat afgelegen hoekje van lagune, zandbanken en eilanden waar de natuurwetten nog golden, had hij steeds in de openlucht geleefd.

Hij had een heel bijzonder figuur, lang, slank en actief. Zijn energie was niet te stuiten, maar hij hield ook van lekker eten, en hij kon zich twee warme maaltijden per dag permitteren, elk van drie of meer gerechten, zonder ook maar een grammetje aan te komen. Hij was dol op vis, en zeebrasem was zijn lievelingsvis.

In Afrika had je die heerlijke rode zeebrasem met zachte schubben, roze en koraalrood van kleur, met stevig vlees en de smaak van de volle zee, en ook zijn neefje, de grijze brasem, een snelle gespierde vis, zeldzamer maar ook verfijnder en geraffineerder van smaak. Paolo at zeebrasem het liefst gekookt in een kruidenbouillon, met veel witte wijn erin, lauw opgediend, met alleen maar olijfolie, schijfjes citroen en in plakjes gesneden gekookte aardappels.

Hij kookte het liefste zelf, en bereidde zijn gerechten tot in de puntjes voor. In Kenia kon je in die dagen met geen mogelijkheid een grote vispan vinden. Zo'n lange, smalle pan met een stevige deksel en een rooster van roestvrij staal op de bodem, zodat je de vis in zijn geheel uit de pan kon halen zonder dat hij uit elkaar viel. Paolo vroeg meneer Cassini om zo'n pan te maken. Meneer Cassini was een vernuftige Italiaan die in zijn werkplaats elk denkbaar metalen voorwerp kon maken. Hij had voor ons een enorme grasmaaier uitgevonden, die haast niet stuk te krijgen was, en zo zwaar dat er twee mannen voor nodig waren om hem voort te duwen, maar hij deed het uitstekend en ging jaren lang mee.

Ook de vispan was zwaar en bedoeld voor mensen uit het vak. Nu, na dertig jaar, gebruik ik hem nog steeds.

De eerste tijd in Kenia ging Paolo alleen naar de markt, in de straat die Muindi Mbingu heette, in het hart van Nairobi, waar in die tijd nog eersteklas lekkernijen te krijgen waren.

Die markt, of *sokoni*, was in Arabische stijl gebouwd; hij had een grote binnenplaats, waar op houten kraampjes en in nauwe winkeltjes naast elkaar onder de zuilengalerij allerlei vers voedsel verkocht werd: groente en fruit, vis, kaas en eieren en alle mogelijke soorten vlees.

De vlees- en viswinkeltjes waren rechts, en Paolo ging met vaste tred op de winkeltjes af, waarin de meest verse vis lag uitgestald, pas aangekomen uit Mombasa. Met zijn onfeilbare kennersoog zocht hij altijd de beste vis uit.

Zodra hij met zijn buit thuisgekomen was, liep hij haastig naar de keuken, hongerig en in een opperbest humeur. Al gauw kwamen daar de heerlijkste oceaangeuren vandaan, die ons huis en onze ochtend vulden.

Maar natuurlijk ging er niets boven je eigen vis te vangen, en Paolo bleef graag lange perioden langs de kust vissen, waar de Indische Oceaan talloze mogelijkheden bood voor zo'n bedreven en onvermoeibare visser als hij.

'Ndege, ndege,' is een roep die alle vissers kennen die ter hoogte van de kust van Oost-Afrika vissen.

Het betekent 'vogels': en een zwerm vogels die boven een kolkend vast punt in de oceaan fladderden en af en toe in zee doken en dan weer omhoogkwamen met een snavel vol vis, duidde op meeuwen die een school sardines achternazitten. Na de sardientjes komen de tonijnen, en achter de tonijnen, als in een plaatje ter illustratie van de voedselketen, de marlijn of de sluiervis.

De boten wendden zich dan meteen in de richting van de meeuwen, in de hoop dat een hongerige vis in zijn verwarring in hun aas zou bijten, zoals vaak gebeurt. En soms sprong er dan een marlijn uit het water omhoog, die zijn dramatische capriolen vertoonde, of ook een sierlijke sluiervis of een lichtgevende faloesi. Maar als de lijn strak stond en het aas naar beneden dook met een verwoed geratel van het molentje, wisten we dat er een haai toegehapt had.

Er zitten massa's haaien in het kanaal tussen Shimoni en het eiland Wasini en nog verderop, in open zee, richting Pemba. Enorme woestogende stierhaaien of mako's met angstaanjagende tanden, die in een grimmige grijns vooruitstaken, werden tegen het vallen van de avond op de haken van de weegschalen van Shimoni Fishing Club gehesen, en gaven ons te denken over de duistere gevaren die op de bodem schuilgingen. Een paar dagen lang gingen we maar liever niet in het diepe water spartelen, en als we zo van de boot in zee doken waren we uiterst voorzichtig en op onze hoede.

Vaak vingen we een tonijn. Die vissen zijn geweldige vechtersbazen, prachtige beesten met een zilvergroene tekening, stevig en compact als bonte meervallen.

Als we in Shimoni of Kilifi een tonijn vingen en wilden opeten, of zelfs een bonito of een geelvintonijn, sneed Paolo hem meteen open en maakte hem schoon. Het bloed stroomde dan weg en trok een dicht spoor achter de boot. Vaak trok dit een hondshaai aan, en met een snelle ruk verdween de bonito in het blauwe water, en hielden wij alleen de slappe lijn over, zonder vishaak.

Als er geen haaien waren, fileerde Paolo de tonijn snel en handig, waarbij hij subtiel het stevige roze vlees in plakjes sneed. Meteen deed hij er sap van een groene citroen en tabasco overheen, en dan aten we ze gelijk op, met de zon in ons gezicht en het zout op onze lippen, ruw als barbaren, intens gelukkig, verliefd en genietend van het ogenblik.

Toen we Ol ari Nyiro hadden gekocht, gingen we vaak bij het Turkanameer kamperen – dat toen nog 'Rodolfo' heette – niet meer dan anderhalve dag verderop. Als de tenten eenmaal opgezet waren, wijdden Paolo en Emanuele zich met volle aandacht aan het vangen van een zo groot mogelijke nijlbaars.

Nijlbaarzen waren enorme vissen, met verbaasde ronde ogen, en met een lichaam dat soms een gele glans afgaf. Soms wogen ze wel honderden kilo's.

Hun afmetingen en hun uiterlijk stamden uit heel verre, prehistorische tijden, zoals alles bij het Turkanameer, waar de mensenetende krokodillen eruitzagen als dinosaurussen, en de plaatselijke bevolking – de stammen van Ol Molo en Turkana – onder Spartaanse omstandigheden leefde, in kleine hutten van gevlochten bladeren van de *doum*-palmen, die rond waren als poppen van vlinders of de vorm vertoonden van omgekeerde manden. Hun miezerige geiten vonden voedsel dat niemand anders kon zien tussen de rotsen van zwarte lava.

Meestal nam Paolo een plaatselijke Turkana-visser in dienst om hem te helpen. Ze begonnen met het vissen van het aas, door vanaf de oever de pijlsnelle, oneetbare tijgervissen uit te dagen. Die waren vraatzuchtig en het was spannend om op ze te vissen, een echte sport. Daarna sneden ze die in lange repen en gebruikten deze als aas voor de nijlbaarzen. Dat waren enorme vissen, die zich toch heel gemakkelijk lieten vangen als ze eenmaal hadden toegehapt.

De nijlbaarzen waren fijn en smakelijk: een maal een farao waardig. Maar voor mij, die het eten voor het gezin kookte, vormden ze een probleem. Onze safari-uitrusting was beperkt tot alleen het strikt noodzakelijke dat we in onze landrover konden laden, en een koelkast was daar natuurlijk niet bij.

Het klimaat in Turkana is droog maar erg heet, en ik moest er iets op vinden om de vis die we overhielden te bewaren. Op de laatste dag stopten we een paar stukken vis in onze koeltassen en als we geluk hadden en de reis zonder hindernissen en al te veel lekke banden verliep, dan konden we het in de diepvriezer doen als we eenmaal in Kuti waren; maar gedurende die week moest ik mijn vindingrijkheid gebruiken.

Opnieuw kon ik profiteren van de herinneringen aan het eten uit mijn kinderjaren. Met groot succes paste ik op de reusachtige nijlbaarzen de klassieke recepten toe, die in Italië gebruikt werden om sardines in het zuur te bewaren. Met azijn, suiker, specerijen en geurige kruiden...

Gelukkig was er ook in Ol ari Nyiro genoeg eetbare vis. In al onze vijvers hadden we een overvloed aan tilapia's.

Hoe ze daar gekomen waren was een mysterie. De nijltilapia, *ngege* in het Swahili, is een verfijnde soort zoetwatervis, die zich gemakkelijk en snel voortplant.

Er werd dan een poel of *dam* uitgegraven in een dal dat daar geschikt voor was. Om de stroom water tegen te houden bouwden we een dijk met onze oude bulldozer; de grond werd geëgaliseerd en we rekenden erop dat vroeg of laat de regens zouden komen.

Na een zekere periode van stabilisatie vormde de modder op de bodem, die verzadigd was van water, een ondoordringbare laag en het nieuwe meer begon vol te lopen.

Een paar maanden later zagen we watervogels en daardoor wisten we dat er daar tilapia's waren. Misschien reisden de eieren mee aan de poten van bepaalde vogels: pelikanen en lepelaars, reigers en de enorme zwermen Egyptische ganzen die op onze *dams* kwamen uitrusten na hun lange nachtelijke vluchten.

Daar vonden we de vis dan al, net alsof die op wonderbaarlijke wijze in het leven geroepen was. Het was ook echt een wonder, want tilapia's zijn de vissen uit de gelijkenis, die door Jezus van Nazareth vermenigvuldigd werden om de hongerige menigte te voeden.

De pelikanen zwommen in een kring rond, in kleine, ordelijke groepjes, en ze vormden ringen op het onbeweeglijke wateroppervlak. Allemaal tegelijk doken ze met hun gebogen halzen en hun kleine kopjes onder de oppervlakte en een ogenblik later kwamen ze weer boven, en staken hun lange oranje snavels omhoog, met daarin de spartelende vis, die daarna als een bobbel in hun keel zou terechtkomen.

De pelikanen gingen systematisch te werk in hun vraatzucht. Voor ze verzadigd waren, kwamen ze niet van de *dam* af.

Als we vis wilden moesten we ze voor zijn.

Voor Paolo was het een buitengewoon opwindende uitdaging om nieuwe vissen, die moeilijk te vangen waren, te lokken met zelfverzonnen aas.

Daarom begonnen we de tilapia's in de grote *dam* te voeren met restjes *posho* die we steeds op hetzelfde tijdstip en op dezelfde plek in het water wierpen om ze eraan te laten wennen. Daarna lieten we een grote metalen fuik, met openingen waardoor de vis wel naar binnen maar niet meer naar buiten kon zwemmen, in het water zakken.

Paolo had hem in onze werkplaats gemaakt en hij had er posho-aas in gedaan.

Al gauw zat zijn fuik vol met honderden vissen, genoeg om het hele dorp dat bij het Centrum hoorde te voeden, en onze assistent-manager John Mangicho was opgetogen. John was een kogelronde Luo en zoals alle Luo's die van het Victoriameer komen, hield hij erg van vis.

Op onze tafel verschenen de tilapia's in de vorm van smakelijke visfilets die we op honderd manieren bereidden of rookten met het geurige cederzaagsel dat we gekregen hadden van Nguare, de timmerman, die in zijn oude zagerij meubels voor ons aan het maken was.

Onze buurvrouw, Antonietta Buonajuti, had een grote vijver – een klein meer haast – in haar farm Colobus die grensde aan de zuidkant van Ol ari Nyiro waar het woud van Enghelesha lag.

De vijver was bijzonder diep en helder, en er dreven blauwe en gele waterlelies en prachtige lange algen in; af en toe waagde zich er een eenzaam nijlpaard in dat van verre kwam, misschien verjaagd door een ander mannetje dat een oogje had op hetzelfde wijfje.

Er lag een roeiboot in haar vijver, en als er onverwacht vrienden kwamen eten en slapen, stopte Antonietta hun een hengel in de hand, wees in de richting van de vijver en gaf hun zo nodig haar tuinman Gatwele mee als gids, zodat ze niet konden verdwalen, en dan stond ze erop dat ze hun eigen maaltje vis vingen.

Dat was een kolfje naar de hand van Paolo: de *dam* van Colobus zat vol met reusachtige heerlijke *black bass*, een smakelijk soort zoetwaterbaarzen, die de vergelijking met hun neefjes uit de zee uitstekend konden doorstaan. Bovendien was de keuken van Antonietta wijd en zijd beroemd.

Haar kok Kipsoi was een magere oude *Kalenjin* die een groot zwak had voor de koppige *changaa*. Zoals in zijn stam gebruikelijk was had hij zijn oorlelletjes doorboord en uitgerekt: ze hingen, keurig opgerold, als spruitjes aan weerszijden van zijn gezicht. Op zijn hoofd droeg hij een versleten rode fez, maar hij had geen schoenen aan.

Bij het bereiden van sommige schotels kende hij zijn weerga niet, en zijn krokante *black-bass*-filets op een bedje van in wijn gekookte risotto waren onvergetelijk.

Tijdens het regenseizoen, als het water onstuimig door de dalen omlaag stortte en in korte tijd de vijvers die we zelf aangelegd hadden deden overstromen, werden de baarzen van Antonietta over de savanne meegevoerd door het bruisende water en dan kwamen ze in onze vijver in Enghelesha terecht.

Enghelesha was een kleine erg aantrekkelijke vijver, favoriet bij de *waterbucks* en de zebra's, omgeven door grote bosjes *mutamayo*, waarin visarenden en reigers, pelikanen en zilverreigers nestelden, en als het graan bij de buren rijp was zag je er ook enorme zwermen nijlganzen.

Plaatsnamen veranderen in Afrika nogal eens. Dat gebeurt bijvoorbeeld als de betekenis van een bepaalde gebeurtenis in de verbeelding van de mensen overtroffen wordt door een belangrijker gebeurtenis van recenter datum.

Zo werd de poel van Enghelesha na verloop van tijd *Damu ya boma ya Faru* genoemd, nadat we er een zwarte neushoorn, die bekendstond onder de naam Toyo, naartoe hadden gebracht, omdat hij de gewoonte had aangenomen om buiten de grenzen van Ol ari Nyiro te zwerven, in het gebied van Luoniek dat misschien gevaarlijk voor hem was. De naam veranderde opnieuw en werd *Damu ya Kiboko ndani ya boma ya Faru* toen er op een nacht uit het niets een mannetjesnijlpaard verscheen en besloot er te blijven. In het begin was het een mysterie geweest waar dat nijlpaard vandaan kwam. Omdat wij geen rivier hebben en afgelegen wonen en er dus geen andere nijlpaarden in de streek zijn, waren mijn *rangers* niet gewend aan nijlpaardsporen.

Daarom stonden ze erg verbaasd te kijken toen ze op een ochtend de grote, enigszins bloedige voetsporen van een onbekend wezen ontdekten, die even groot waren als die van de neushoorn. Ze sloegen meteen alarm.

Het raadsel werd opgelost toen, met theatraal gesnuif en angstaanjagend geknor, een grote donkere gestalte opdook uit de *dam* van Enghelesha, waar de sporen hen heen gevoerd hadden. Het nijlpaard was waarschijnlijk verjaagd door het dominante mannetje uit de rivier de Wasy Nyiro, en had 's nachts vele kilometers afgelegd tot hij eindelijk water had geroken, waar zijn grote lichaam met gemak in kon en waaromheen voldoende planten groeiden om zijn grote eetlust te stillen.

Het nijlpaard leefde gelukkig totdat, na een periode van ernstige droogte, de *dam* geheel opdroogde.

De droge bodem veranderde in een netwerk van spleten en de *waterbucks*, die van water houden, zaten treurig aan de oevers terwijl de reigers droevig neergestreken waren op uitsteeksels van wilde olijfbomen.

'Wat moeten we doen? Het nijlpaard kan buiten het water niet overleven. Zijn huid gaat barsten en droogt uit, en dan gaat hij dood.'

Maar hij ging niet dood. Drie maanden lang wist het nijlpaard zich uitstekend te redden buiten het water. Samen met de neushoorn dronk hij uit de koeiendrenkplaats, hij sliep in de *lelechwa*-struiken en wreef zijn dikke lijf tegen de geurige, geneeskrachtige bladeren.

Juist in die *dam* was Paolo op een keer onder het vissen aangevallen door een cobra, die op de loer lag voor een frankolijn.

Geheel in beslag genomen door het vissen, had hij nog maar net de tijd gehad om vanuit zijn ooghoeken de indrukwekkende schaduw van de opengesperde kaken op de waterlelies op te vangen, en met de snelheid waarmee hij al eens eerder zijn leven gered had, slaagde hij erin zijn hoofd zo vlug om te draaien dat hij alleen maar een paar druppels van het giftige speeksel in zijn oog kreeg.

Hoewel hij zijn brandende pupil met gekookte melk gebet had om het gif onschadelijk te maken, waren die paar druppels, net als bij Antonietta, voldoende geweest om hem – ondanks zijn adelaarsblik – voortaan te verplichten tot het dragen van een bril bij het lezen.

Maar misschien waren de meest sensationele bewoners van onze poelen de dieren die bekend raakten als *samaki ya mugu*.

'*Hio kitu ni nini?*' Wat is dat voor spul? vroeg Simon streng, toen Emanuele en ik voor het eerst naar huis terugkeerden met een emmer die tot aan de rand toe wemelde van die spartelende rossige insecten.

'*Hio kitu apana chakula.*' Dat spul kun je niet eten.

Een paar jaar geleden was er een halve emmer van in de *dam* van Ngobithu gegooid en overgelaten aan de genade van de pelikanen en ooievaars en lepelaars, en nu krioelde die poel letterlijk van die mooie, dikke kreeften, die we dolgraag wilden koken.

Vanaf zijn twee meter hoogte keek Simon met opperste minachting naar de inhoud van de emmer.

Hij behoorde tot de stam van de Turkana's, die niet zo beroemd waren om hun verfijnde keuken.

Het lekkerste gerecht dat hij uit overlevering had leren koken was een pas gekeelde geit, die nog al haar bloed had en in haar geheel op een vuur geworpen werd, en daarna overdekt werd – kop, huid, haar, ingewanden en heel de rest – met gloeiende houtskool. Als de huid verbrand was, en de scherpe geitenlucht plaatsmaakte voor de geur van verbrand vlees, werd het beest van het vuur gehaald en in stukken gesneden. Het rokende vlees werd daarbij op ruwe wijze ontleed en in gelijke stukken verdeeld, half rauw en half verbrand. De darmen met hun inhoud werden beschouwd als een heerlijk hapje: ze zaten nog vol half verteerd gras en bladeren en werden nauwkeurig verdeeld onder de belangrijkste leden van de stam, te beginnen bij de oudsten.

Maar dankzij zijn Afrikaanse aanpassingsvermogen, zijn nieuwsgierigheid en zijn beroepseer had Simon gaandeweg van mij geleerd om uitgebreide schotels klaar te maken, die hij absoluut niet kende. Uit de melk die vers gemolken was in een van de *boma's* en die 's ochtends door een man te paard gebracht werd, werd een romige ricotta gemaakt; malse 'Italiaanse' spinazie werd blaadje voor blaadje uitgezocht en langzaam gaargestoomd, geplet en gehakt; er werden heel verse eieren uitgekozen door ze in het water te dompelen en zich ervan te vergewissen dat ze op de bodem bleven liggen – dat was een magie die hij erg serieus nam – en daarna werd van de eieren met bloem, zout en een scheut olijfolie een soepel geel deeg gemaakt. Door enkele stevige klappen met de houten deegrol, veranderde dit in blaadjes perfecte pasta, die werden uitgespreid op het stenen blad van de keukentafel.

Kleine hoopjes ricotta gemengd met de spinazie en de parmezaanse kaas – die ik regelmatig van mijn moeder uit Italië toegestuurd kreeg tegelijk met de Arboriorijst – en met een zweempje nootmuskaat en peterselie gebonden door een eidooier, werden op regelmatige afstanden van elkaar op het uitgerolde deeg gelegd. Daar werd vervolgens een andere laag pasta overheen gelegd, die met bekwame vingers in de hoeken stevig werd aangedrukt, en daar werd, *kumbe*, zomaar de onvolprezen ravioli van gemaakt. Die werd gekookt in kokend water met zout en olijfolie, overgoten met lichtbruine schuimige boter en bestrooid met kaas en wilde salie.

Dat waren allemaal heel verfijnde gerechten en Simon was er trots op dat hij al deze technieken tot in de puntjes beheerste: voor gistdeeg en kruimeldeeg en taartdeeg en bladerdeeg en soufflé en verse kaas en ijs en pasteitjes... Maar wat was dít nou voor spul? Simon was verontwaardigd.

Het moet gezegd worden dat zijn pasverworven meesterschap ten aanzien van vreemde gerechten af en toe zwaar op de proef gesteld werd door het een of andere barbaarse ingrediënt dat we onverwachts voor hem meegenomen hadden om te koken.

Bijvoorbeeld die keer dat Emanuele hem had gevraagd om een pasgevilde pofadder te roosteren, die hij met rozemarijn had moeten bedekken en daarna in aluminiumfolie wikkelen; of die keer waarop hij leeuwenhart had willen proeven: wat Simon overigens wel een goed idee vond, omdat het gold als een passend gerecht voor een *moran*, een opgroeiende jongeman.

Leeuw was mannenspijs. Als men in het verleden in Ol ari Nyiro een leeuw had moeten afschieten die het vee doodde, waren de Turkana's altijd het eerst ter plekke aanwezig geweest. Ze kwamen in hun lange *panga's*, vrouwen, kinderen en oude mannen, en ze stortten zich als een zwerm op het pasgevilde karkas en sneden er alle stukken uit, totdat alleen nog maar het skelet over was.

Het hart werd natuurlijk buitengewoon gewaardeerd door de jonge mannen, omdat ze er dapper en vurig door werden, terwijl het dikke, gele vet de voorkeur genoot van de ouderen, want dat gaf hun weer nieuwe energie en was goed tegen de reumatiek.

Ook olifantenvlees was zeer gewild. Daarvan werden enorme lange lappen uit het reusachtige, trieste karkas gesneden, zodat er als de Turkana's, hongerig naar eiwitten, in de buurt waren, niets overbleef voor de hyena's. Maar dit! Dit was niet een gerecht waar Simon goedkeuring aan kon hechten.

Er was natuurlijk ook die keer geweest toen Paolo nog levende mangrovekreeften uit Shimoni mee naar huis genomen had. Die waren uit hun jutezak gekropen en hadden het van angst verstijfde personeel bedreigd met hun enorme zwarte scharen, klaar voor de aanval. Ze klapperden met het geluid van castagnetten, zodat iedereen op tafels en stoelen geklommen was, doodsbenauwd schreeuwend bij het zien van die enorme 'spinnen', die rechtstreeks uit de hel leken te komen, en alle kanten op liepen over de keukenvloer.

Dat we ze met veel genot konden opeten, gesmoord in gember en uitjes, en aangemaakt met een saus van soja en limoen, kon Simon niet bevatten, totdat ik hem er wat van liet proeven.

Ik legde een hapje witroze pulp uit de schaar op de rug van zijn hand; hij proefde aarzelend, zoals bij alle nieuwe smaken – en voor hem was bijna alles nieuw –, en keek mij aandachtig aan bij het kauwen om aangemoedigd te worden door mijn reactie. Zelf was hij onzeker als hij moest uitmaken of een gerecht eetbaar of lekker was, of maar beter kon worden weggegooid. Tenslotte had hij krachtig geknikt.

'*Hala... ni tamu!*' had hij enthousiast bevestigd. '*Ni kama nyama tu.*' Hé, dat is lekker, het lijkt wel vlees.

Maar die insecten? Die waren erg vreemd.

Ik wist dat hij, om zijn eer te redden, de kreeften alleen zou accepteren als ik er een vertrouwde naam aan zou geven, iets waarmee hij zou kunnen leven zonder zijn – en onze – *eshima* te verliezen.

Simon had een groot gevoel voor decorum: tenslotte was het volgens hem beneden de waardigheid van de *wasungu* om insecten te eten zoals de Pokots deden. Die posteerden zich meteen na de eerste regens naast de termietenhopen en wachtten tot de termieten eruit kwamen, stopten ze in jutezakken, en braadden ze in hun eigen knapperige vet – een smaak van hazelnoten, hadden ze me gezegd. Daarom kondigde ik ineens aan: '*Hio hapana wadudu: hio ni samaki. Ni samaki ya mugu: na ni tamu sana.*' Nee, dit zijn geen insecten; het zijn vissen; vissen met pootjes: en ze zijn heerlijk.

En dus is de geaccepteerde en enige naam voor de rivierkreeften in Laikipia tot op heden nog altijd 'vissen met pootjes', *samaki ya mugu*, en niemand heeft daar ooit bezwaar tegen gemaakt.

In de loop van de jaren zette ik kreeften uit in andere poelen en daar gedijen ze goed. Ze leken zich met een alarmerende snelheid voort te planten, net als sprinkhanen, en kennelijk vonden ze in onze rode, modderige *dams* het ideale leefgebied waar ze zich konden ontwikkelen tot enorme monsters, haast zo groot als langoesten.

De jongen die jaren later op zijn motorfiets melk zou komen brengen en na de regens bij mij gras zou komen maaien, een jonge Turkana die Munyete heette, met een vrolijk, komisch, slim gezicht en een verborgen talent voor muziek, kreeg de taak om iedere dinsdag de *samaki ya mugu* te vangen.

Hij stopte ze in het diepe cementen bassin dat ik achter mijn keuken in Kuti had laten bouwen; ze moesten namelijk minstens een week in schoon stromend water bewaard worden, zodat ze het modderige eten, dat ze binnengekregen hadden en dat zich in hun ingewanden had opgehoopt, kwijt konden raken.

Munyete ving ze in een reeks taps toelopende fuiken van metaaldraad, die we in onze werkplaats hadden laten bouwen.

Hij vond het heerlijk om in de werkplaats rond te struinen en was erg vindingrijk en creatief. Hij had een merkwaardig primitief instrument gebouwd, een soort lange fluit, gemaakt van een ijzeren buis die we tussen het schroot hadden gevonden. Als de studenten die ons Wilderness Education Centre bezochten, 's avonds na de maaltijd om het vuur gingen zitten om elkaar verhalen te vertellen of ernaar te luisteren, kwam Munyete uit de schaduw tevoorschijn, indrukwekkend uitgedost in een merkwaardige combinatie van huiden en botten, met een verentooi op zijn hoofd en zijn vrolijke gezicht beschilderd met gruwelijke oorlogskringen van witte verf.

Hij begon voor de verbijsterde toeschouwers naargeestige Turkana-klaagliederen te spelen, met verrassende bekwaamheid en toewijding, en moduleerde ze op zijn fluit, van eigen makelij maar daardoor niet minder klankrijk, zodat de gasten de rillingen over de rug liepen en iedereen onder de indruk raakte.

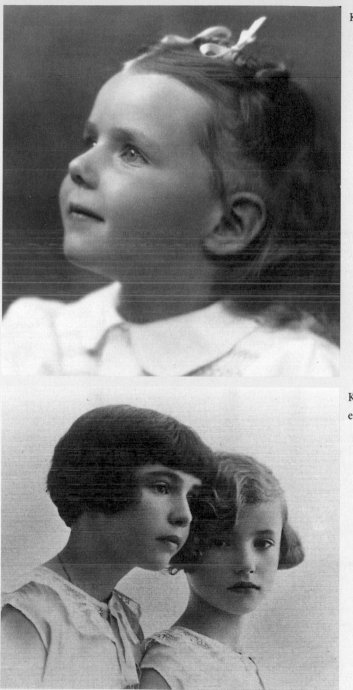

Kuki als kind

Kuki's moeder
en tante Otti

Een familie van
vrouwen: tante
Otti, tante Vito en
Kuki's moeder

Kuki als kind met haar moeder, in 1944

Eind van de oorlog:
Kuki's vader in Rome
in 1945

Kuki en haar opa
in Mira

Het huis in Mira

Kuki als jong
meisje tussen de
bloemen

Eenzame kinder-
jaren: Emanuele
in de tuin van
Mira

Emanuele en
Paolo

Emanuele met
de tijgervissen,
aan het Turkana-
meer

De rotsen van
Paolo,
Ol ari Nyiro

Sveva met Jana
en Hamish in de
tuin in Kuti

Ol ari Nyiro:
Turkana-vrou-
wen die dansen
in Una Ngoma

Kuki met
Cheptosai Selale,
Selina Selale en
Esta Buoliamoi,
de Pokot-krui-
denvrouwen

Project Neushoorn: Sveva bij de eerste verdoving van de neushoorn Mainda

Kuki en haar
vriendin
Cheptosai Selale

Sveva met
Langeta,
Chepteset en
Cheptosai

Foto John Sacher

Turkana-mannen

Kuki met haar
honden in Kuti

De kok van
Ol ari Nyiro:
Simon Itot

Foto Max Alexander

Schrijven in de
bush in de
schaduw van het
vliegtuig

Zonsondergang
boven het
Baringomeer

Het hondenbad

Sveva danst
met de
Pokot-vrouwen

Het huwelijk van
Sveva en Charles

Sveva en Charles op de 'heuvel van de verloren geit'

III

ZE KWAMEN IN SNELLE ZWERMEN

... en is er nog honing voor bij de thee?
RUPERT BROOKE, *Grantchester*

Er waren dagen dat Laikipia vol bijen leek te zitten.

Hun monotone, trillende gezoem kwam op de wind onze richting uit, lang voordat zijzelf naderbij kwamen.

Weldra verschenen ze: een donkere zwerm van duizenden minuscule lichaampjes, die in een compacte formatie rondom hun dierbare koningin vlogen en de mysterieuze geur volgden die hen zou leiden naar de beste plek om hun nieuwe kolonie te vestigen.

Er lag iets dreigends in hun machtige doelgerichtheid, en dat kwam niet alleen door het besef dat ze mij en de honden die om me heen sliepen gemakkelijk hadden kunnen doden. Dat was ooit het lot geweest van de labradors van Klaus, in Mugie, het landgoed ten noordoosten van Ol ari Nyiro, en dat was niet verwonderlijk, want deze bijen waren *killer bees*.

We voelden aan dat ze deelnamen aan een missie, die voor hen van levensbelang was. Deze was gericht op een bepaald punt, waarvan ze de ligging uit een overgeërfd instinct leken te kennen, zoals alle migrerende dieren; de concentratie waarmee ze hun doel nastreefden was zo sterk dat niets ter wereld hen zou tegenhouden, en dat ze ons zelfs niet zouden steken, zolang ze zich tenminste niet bedreigd voelden.

Voor alle zekerheid verroerden we ons niet, en onderbraken we datgene wat we aan het doen waren, zwijgend, haast zonder te ademen, totdat de schaduw van de zwerm voorbij was.

Soms zat ik aan mijn bureau in mijn kantoor te Kuti, dat gebouwd was op cederpalen en op de savanne uitzag, en hoorde ik het gegons van de naderende bijen; dan besefte ik dat de zwerm recht op ons af zou komen.

Plotseling waren de bijen overal, voorafgegaan door de oplettende, dappere verkennerbijen, die tot taak hadden om, voor de rest van de zwerm uit, alle hoeken van de kamer in zich op te nemen. Na enkele ogenblikken werden de andere gerustgesteld door een geheimzinnig signaal; ze volgden de verkenners en verdwenen een voor een in een spleet in het plafond.

Wat mij hogelijk verbaasde was het onfeilbare instinct waardoor ze gedreven werden, de militaire precisie van hun optreden, het zo duidelijk gedefinieerde doel van hun leven, kenmerken die in de dierenwereld misschien alleen de mieren met de bijen gemeen hebben.

Tot de lievelingsplekken van de bijen behoorden de kamer van Emanuele, het bad in de kamer van Sveva, de keuken, mijn donkere kamer en de badkuip in de grote logeerkamer, die we de kamer van P.B. noemden.

De badkuip was namelijk aangelegd voor de bezoeken van prins Bernhard uit Nederland, die vaak bij ons in Laikipia kwam logeren en dan altijd in die speciale gastenkamer sliep.

Hij was de beschermheer van de Gallmann Memorial Foundation, en in de loop der jaren was hij een ware vriend geworden, die ik respecteerde en vertrouwde, een 'beschermengel' van wie we wisten dat we op hem konden rekenen.

Hij hield van de natuur, hij vond het leuk de dieren te observeren, de vrijheid en de ruimte van dit magische hoekje Afrika te voelen, en hij deelde mijn missie om te proberen dit kwetsbare, waardevolle ecosysteem voor de toekomst te behouden. Hij was erg oud, maar had de geestkracht en de energie van een jongeman. Zijn bezoeken waren een eer en een vreugde voor de mensen van Ol ari Nyiro, en als zijn komst werd aangekondigd, werkten we allemaal hard om ervoor te zorgen dat alles tot in de puntjes voor elkaar was.

We controleerden de landingsbaan om er zeker van te zijn dat er geen termietenheuvels of kuilen van wrattenzwijnen waren, het huis werd schoongemaakt en opgeruimd, zijn vlag met het wit met oranje wapen werd gehesen en wapperde in de bries aan de vlaggenstok die speciaal opgezet was in het stuk gras achter het huis, zijn geliefde witte anjers waren in een vaas in zijn kamer gezet, en een kleine selectie cassettes met Mexicaanse muziek werd gereedgezet als muzikale begeleiding 's ochtends bij het ontbijt, wanneer hij nog niet in de stemming was voor gesprekken. Als ik een aantal dagen van tevoren het menu had opgesteld, zodat ik er zeker van was dat zijn lievelingsgerechten niet ontbraken, en ik wist dat ik voldoende limoenen had, en goede parmezaanse kaas, verse pepers, olijfolie, een mals lapje vlees, schaaldieren, zoete meloen uit Voi, dadels en de beste droge witte wijn, gingen we met zijn allen zijn badkamer controleren om ons ervan te vergewissen dat de bijen die zich meestal achter de badkuip genesteld hadden, er niet meer zaten.

En toch bezat P.B. een immense ware eenvoud, en wist ik zeker dat hij niet gauw moeilijk zou doen over kleine onvolkomenheden.

Zoals die keer dat Recho, het kamermeisje, misschien wat zenuwachtig, uit gewoonte de deur van zijn kamer van buiten af op slot gedaan had, en hij toen doodgemoedereerd over de vensterbank was gestapt en met een brede glimlach in onze woonkamer was verschenen, vol pret over onze consternatie, net als een jochie dat een kwajongensstreek had uitgehaald.

Ik heb altijd respect gehad voor de bijen, intelligente, ijverige diertjes die tot veel in staat zijn, en daarom was er tussen ons een vreedzame coëxistentie ontstaan.

Ik zat achter mijn computer in mijn kantoor en maakte me geen zorgen, al wist ik dat het in de rechterhoek van het plafond, bedekt door palmen matjes uit Meru, gonsde van de bedrijvigheid. De werkbijen kwamen en gingen in de gloeiende ruimte die hen beschermde tussen het golfplaten dak en de bekleding van stro.

Hun aanhoudend gegons vormde een achtergrond die af en toe zelfs het kwetteren van de vogels overstemde – hoewel die in mijn oase-tuin Kuti beroemd zijn om hun gezang – en bracht de weinige bezoekers die in mijn schuilplaats toegelaten werden van de wijs.

De wederzijdse aanvaarding van onze aanwezigheid duurde geruime tijd, zonder dat we die onzichtbare territoriumgrens overschreden waarvan de schending de vonk van agressiviteit zou doen overslaan en zou leiden tot een onmiddellijke aanval.

Ik hield me steeds op een zekere afstand van hun nest, en slechts af en toe kwam een verkennerbij controleren, brutaal gonzend, opgewonden en fanatiek, op enkele centimeters van mijn gezicht.

Ik wist dat het gevaarlijk was en Aidan, die alles wist van bijen, honing en planten, had mij geleerd om onbeweeglijk te blijven, en plotselinge instinctieve bewegingen te vermijden. Dat was moeilijk, maar meestal lukte het mij. Op een dag echter maakte ik de vergissing met mijn hand een bij te willen verjagen, die nog te dichtbij was, en toen stak hij me razendsnel in mijn neus. Ik voelde onmiddellijk een doordringende pijn, zoals bij een diepe brandwond en het zag er niet naar uit dat die gauw zou afnemen: de bij had me vlak bij het bot gestoken en er was geen plaats waar het gif zich kon verbreiden en langzaam uit mijn lichaam kon verdwijnen, en bovendien zat de angel nog in mijn huid.

Mijn ogen traanden van de pijn, en in mijn paniek beging ik mijn tweede fout: ik wreef langs mijn neus om de angel eruit te halen, maar drukte hem alleen nog maar verder naar binnen, waardoor het gif eruit geperst werd.

Toen ik hem er eindelijk uit had gekregen, lag er op het pincet een piepkleine doorn, die eruitzag als een microscopisch kleine afgerukte klauw, en de bij lag dood op de vloer. Een paar uren later leek, ondanks de antihistamine, mijn gezicht net een grotesk masker, een soort varkenssnuit, en ik moet er beslist heel raar uitgezien hebben, want zelfs Aidan, die normaal serieus en plechtig was, barstte, toen hij me de volgende dag zag, in zo'n vrolijk en aanstekelijk gelach uit, dat ik dat geluid nooit zal vergeten.

In tegenstelling tot mij, was Sveva allergisch voor bijensteken; ze kreeg er zeer hevige reacties op. Als ze met blote voeten over het gras liep gebeurde het vaak dat ze op een bij trapte en zelfs werd ze op een keer door een hele zwerm aangevallen, terwijl ze met een vriendje in een stilstaande auto naar muziek zat te luisteren, vlak bij de plek waar een bijenkorf verborgen was. In een oogwenk vulde de auto zich met insecten en Sveva rende eruit met al een paar bijen in haar bloes. De geïrriteerde werkbijen sloegen alarm en de vechtbijen gingen achter haar aan terwijl ze de helling af sprong. Gelukkig dacht ze eraan om zigzag te rennen, afwisselend binnen en buiten de schaduw van de bomen, om de bijen van de wijs te brengen. Maar de vechtbijen bleven haar achtervolgen en er kwamen ook andere bijen bij.

Toen ik, gewaarschuwd door haar hevig geschrokken vriend, op het toneel verscheen, zat Sveva onder een acacia, in haar beha. Ze zat helemaal onder de bijensteken en was op het punt om flauw te vallen, maar toch kon ze niet ophouden met lachen om die absurde en komische situatie. Ik diende haar een dosis adrenaline toe, waar ik altijd een voorraad van heb, en een beetje antihistamine waar ze slaap van kreeg, zodat ze zich in korte tijd weer beter voelde.

Bijen betekenden echter vooral uitstekende honing, en wij wisten hoe we die moesten verzamelen.

In het bos dicht bij het water en op de top van enkele Gerardie-acacia's die in de buurt van de landingsbaan van Kuti groeiden hadden we speciale bijenkorven aan de boomtakken gehangen, die gemaakt waren uit holle boomstammen uit de streek van Tharaka, waarvan de bewoners uit traditie bekwame imkers waren. Deze bijenkorven waren van Sveva: ze waren versierd met bloemmotieven, en met een heet brandijzer was haar naam erin gebrand: een geschenk van Aidan.

Tweemaal per jaar, na de kleine regens en tijdens de grote regens, snoven onze Tharaka's – of het nu *rangers* of koeherders, boekhouders of bewakers waren – de lucht op en zeiden: '*Ajambo sisi nahenda kuangalia rusinga. Nyuki tamalisa asali kama sisi taceleua.*' We moesten de bijenkorven maar eens controleren; als we daar te laat mee zijn hebben de bijen alle honing al opgegeten.

Zo werden ze net zo bedrijvig als bijen in een bijenkorf.

Silas Kabotho, het hoofd van onze boswachtersploeg, die zelf een Tharaka was, ging alle *inginia ya nyuki* halen – zoals de bekwame imkers zichzelf met gevoel voor humor noemden – Francis Chabaria, Steven Muitheria, Jacob Makombe en Isaiah Mutura, allemaal Tharaka's, behalve Lokoro Achuka, een lange Turkana met een sympatiek gezicht die veel gemakkelijker tot aan de hoge takken kon klimmen dan de kleine Tharaka's.

Ze brachten een ongelooflijke uitrusting bij elkaar: emmers, zeven, trechters, lange pannen met deksels en stro eromheen en een speciaal soort dik moerasgras, dat *kisinga* heet en de eigenschap heeft zonder vuur te kunnen branden, waarbij het een dichte, kruidige rook afgeeft.

De rook moest de bijen zo lang uit hun korf verjagen als nodig was om bijna al de honing te roven. Toch liet men een beetje honing in de raten zitten, zodat de bijen niet gedwongen werden om de korf te verlaten en doorgingen met eten en zich vermenigvuldigen. We moesten een maanloze nacht uitkiezen of een tijdstip lang voor het opgaan van de maan, want het was belangrijk dat we ons niet lieten zien, anders zouden de bijen zich meteen op de dieven storten.

De mannen vertrokken zingend in de nacht, rechtop staand in de laadbak van onze oude groene Toyota pick-up, en de volgende ochtend keerden ze allemaal terug met een paar angels in hun lichaam, die ze uittrokken zonder hun goede humeur te verliezen, als mensen die nergens moeilijk over deden. De vaten vulden zich met de dikke, geurige honing met het subtiele *mukignei*-aroma, en op de oppervlakte dreven bijen en was, terwijl perfecte stukken pectine, die eruitzagen als ineengestrengelde vleugels van mythische insecten, in de zon uitgespreid waren op metalen borden.

Door de hitte van de zon zou de honing als een goudgele stroop door een zeef in de pannen stromen, en dozijnen potten met heerlijke nectar zouden in een rij op de planken van de provisiekast opgesteld worden, echt godenvoedsel.

IV

POKOT-VROUWEN

Ewoi ewoi laleya sisanya
Ewoi ewoi kemi polen.*

Welkomstlied van de Pokot-vrouwen

Onder onze buren op Ol ari Nyiro was ook de Pokot-stam.

Ze woonden op de hellingen van het Riftdal aan de kant van het Baringomeer. Terwijl de vrouwen de schapen en geiten hoedden gingen de mannen op jacht of maakten zich – net als in vroeger tijden – gereed om stamoorlogen te voeren of strooptochten te houden om het vee van hun traditionele vijanden, de stammen van de Turkana's en de Samburu's, te roven. Die stammen woonden meer naar het noorden, maar af en toe hielden ook zij strooptochten op andermans grondgebied.

Het kon niet missen of die schermutselingen waren aanleiding tot wrede wraakoefeningen: ware oorlogen, waarbij vaak hele dorpen vernietigd werden en de bevolking zonder onderscheid afgemaakt.

Het waren alle drie herdersstammen, en hoewel ze verschillend waren van uiterlijk, zeden en gebruiken, hadden ze met elkaar het onwankelbare geloof gemeen, dat God, toen hij het vee schiep, dat voorgoed voor hun eigen stam bestemd had.

Vee roven – op nachten met volle maan, gebruikmakend van het zilveren licht dat een enorme maan in de slapende savanne wierp – werd simpelweg gezien als terugpakken wat je rechtens toekwam.

De Samburu's – lang en lenig als hun neven de Masai – droegen

---

* Alles gaat goed alles gaat goed zwijg en luister / alles gaat goed alles gaat goed het is een dag van vrede.

een rode deken, die achteloos en sierlijk over een schouder gedrapeerd werd. Als je in een vliegtuig over de savanne vloog, vielen ze meteen op, terwijl ze hun kudden hoedden: als scharlaken papavers vormden ze felrode stipjes in de uitgestrekte graslanden.

De Turkana-mannen droegen korte donkerrode *shuka's* en felblauwe hoofddeksels met een versiering van struisvogelveren, terwijl hun vrouwen met blote borsten rondliepen, koninklijk, hun ranke benen bedekt door lange, golvende leren rokken en hun tengere halzen omsloten door hele rijen halsringen gemaakt van grote rode, witte en blauwe kralen. Hun trotse hoofdjes waren versierd – volgens een verrassend modern kapsel – met honderden vlechtjes ingesmeerd met geitenvet, en een dikke franje wierp een schaduw over hun voorhoofd en beschermde hun trotse en hoogst onverschillige schuinstaande ogen tegen de onbarmhartige zon.

De Pokots zijn heel anders.

Ze horen tot de clan van de Kalenjins, ze zijn over het algemeen kleiner, gespierd, kunnen heel handig in het dichtste struikgewas opgaan en zijn als jagers niet te overtreffen. De mannen dragen zwarte *shuka's*, lopen op sandalen van ongelooid leer, zijn gehuld in merkwaardige ceremoniële mantels die bestaan uit een hele leeuwenhuid die uitloopt in de staart van het dier en dragen een hoofdtooi van blauwgeverfde mest met een struisvogelveer in het midden, zo ongeveer als die van de Turkana's.

De vrouwen scheren hun hoofdhaar af en laten alleen maar een koket kuifje van krullend haar boven op hun hoofd staan, dat eruitziet als de kam van een exotische vogel.

De Pokots leven nog volgens de gebruiken van vroeger en hun vrouwen dragen op elke leeftijd een ander soort sieraden.

Kleine meisjes dragen alleen een piepkleine leren lendendoek met een paar kraaltjes erop, en een dun kettinkje om hun hals.

Als ze in de puberteit komen, zoeken ze voordat ze besneden worden in het struikgewas een plant die lijkt op wilde asperge, waar ze eerst rondjes van snijden en dan, met een scherp mes, kleine cilindervormige kralen die, als ze een tijdlang te drogen gelegen hebben, al gauw donker worden. Met die kraaltjes maken ze halssieraden met veel ringen, rond en plat, die bijna tot de schouders lopen, als houten kragen; af en toe versieren ze die met schelpen, meestal kaurischelpen, of met dikke spelden of een sleutel of scharnier die ze ergens gevonden hebben.

Zolang de wond van de besnijdenis niet geheeld is, duiken de meisjes onder in vriendinnengroepjes, ver van de mannenogen, en hun voorhoofd bedekken ze met sieraden met langwerpige, felgekleurde kralen. Meteen daarna trouwen ze, en voor de rest van hun leven dragen ze om hun hals verschillende lagen enorme halsringen van rode, oranjegele, lichtgroene en zwarte kralen, afgezet met grote ruitvormige kralen in de dominante kleuren rood en zwart.

De Pokot-vrouwen hebben hoge jukbeenderen, sierlijke ronde gezichtjes, en een puntige kin: ze zijn nogal schuw. Maar ze hebben een warm karakter en gevoel voor humor. In de loop van de jaren ben ik erg aan hen gehecht geraakt en werd ik een belangrijk iemand in hun leven, zoals zij dat in het mijne waren.

Ze wisten dat ze op mijn vriendschap en hulp konden rekenen en kwamen bij me als een van hun kinderen ziek was, als een huis door brand verwoest was en ze een nieuw dak nodig hadden, als ze ten gevolge van de besnijdenis een langdurige en gevaarlijke bevalling hadden en de kraamvrouw naar het ziekenhuis van een verre missiepost vervoerd moest worden, of alleen maar om thee of suiker cadeau te krijgen.

Ik bood hun wat hulp door hun ambachtelijke producten te kopen: langwerpige *kibuyu*, van uitgehaakte pompoenen, waarin ze melk of water bewaarden, leren schorten waarop glazen kraaltjes geborduurd waren, of hangertjes. In ruil daarvoor kreeg ik van hen geneeskrachtige kruiden cadeau, zeldzame wortels, vreemde poeders met een bijtende smaak, die bijna alles konden genezen.

Ik noemde hen bij hun naam en zij noemden mij Guki.

Ik mocht ze allemaal graag en kon met iedereen goed opschieten, maar de vrouw met wie ik een heel bijzondere band opbouwde was Cheptosai Selale.

De eerste keer dat ik haar ontmoette was heel lang geleden, toen ik me begon te interesseren voor de geheimen van de inheemse planten die welig tierden in Ol ari Nyiro. Ik was er vast van overtuigd dat, als we die planten waar zo weinig over bekend was waarde konden toekennen, de mensen er anders tegenaan zouden kijken en ze zouden beschermen.

Ik had gemerkt dat na de eerste regens onze mensen uit Kuti in het struikgewas doken en eruit terugkwamen met een grote verscheidenheid aan wortels, vruchten, bessen, bladeren en boomschors waar je sterke aftreksels van kon koken, die gebruikt werden als geneesmiddel voor bijna elke ziekte.

'Wie weet er het meeste van? Wie is de deskundige? Wie is de *fundi ya dawa ya miti*?', wie heeft er verstand van de geneesmiddelen die van de planten gemaakt worden?

'O,' antwoordden ze, 'dat is Mama Langeta. Die is heel oud. Ze woont in Churo.'

Langeta was een van de tien Pokots die we in dienst hadden als wachters om het wild in het Pokot-reservaat te beschermen.

Zijn taak was het om de stropers onder controle te houden en te zorgen dat er geen neushoorns ontsnapten van ons land, dat toen nog niet omheind was.

Op typisch Afrikaanse wijze wordt een moeder aangeduid met de naam van haar oudste zoon als die eenmaal volwassen is geworden, of, als ze geen zoons heeft, met de naam van de oudste dochter. Velen kennen mij behalve als Nyawera, Mama One, of Kuki of Guki, ook als Mama ya Makena, de bijnaam van mijn dochter, die 'Zij die glimlacht' betekent.

De moeder van Langeta zat in het stof voor haar hut, toen ik haar voor het eerst zag. Ze was heel klein van gestalte, maar zat rechtop, trots en plechtig: haar mysterieuze ogen, met die grijsgroene glans die sommige Afrikanen krijgen als ze ouder worden, keken mij aan zonder iets van haar gedachten te verraden, maar ik wist dat haar niets ontging. Ook tijdens die eerste ontmoeting voelde ik een diepe verwantschap met die kleine vrouw, al kwamen wij uit werelden die mijlenver van elkaar af lagen. Toen ik haar via een tolk vroeg of ze haar plantenkennis met mij zou willen delen, zodat die na haar dood niet verloren zou gaan, was ik er zeker van dat dat slechts de eerste van veel andere, belangrijkere ontmoetingen zou zijn.

Toen ik uitgesproken was, gaf ze alleen maar een zwijgend knikje.

Sindsdien werd ze een vertrouwde figuur langs de paden van Ol ari Nyiro, gevolgd door haar helpsters, haar oudste dochter Selina, en Esta Buoliamoi, een jonger lid van haar familie die slechts één oog had, maar intelligent was en zelf ook veel verstand had van plantkunde.

Wij ontwikkelden een diepe, haast telepathische band. Vaak gebeurde het dat ik bij mijn terugkeer van een buitenlandse reis Cheptosai op mijn grasveld zag zitten, met haar zakjes poeders netjes naast haar opgesteld, en een flesje van een sterke bittere kruidenthee, die ze zojuist voor me gemaakt had, om me weer in conditie te brengen.

Ze hield erg veel van mijn dochter Sveva, die ze allemaal Makena noemden. Ze was in staat om samen met haar vriendinnen urenlang te lopen om te komen dansen op de rodeo's, de verjaardagen en de ceremoniën. Ze hield van dansen en leidde de andere vrouwen door op het ritme van de muziek haar armen op te heffen en met haar blote voeten op de grond te stampen.

Toen Sveva achttien werd, kwam ze voor haar dansen. Toen de zon hoog aan de hemel stond, kwamen er wel zo'n honderd mensen – jonge krijgers en vrouwen van verschillende leeftijden –, ze renden in speciale formatie naar de landingsbaan van Kuti en begonnen te zingen.

'Vroeger was je een klein meisje, maar nu ben je geen klein meisje meer,' zongen de meisjes. 'Vroeger was je van je moeder, nu ben je een van ons. Je bent nu een vrouw geworden, een vrouw als wij, Makena, en dat is je huis.'

De krijgers zongen: 'Je bent onze zuster, je moeder hoeft niet bang te zijn als ze ver weg is op haar reizen, want wij zullen voor je zorgen. Als er een probleem is, roep ons dan en we komen je te hulp.'

Ze staken hun lansen dreigend omhoog, tilden hun knieën op onder het dansen, zoals een troep rennende struisvogels.

Cheptosai naderde Sveva en omhelsde haar, en ik besefte opnieuw, met een huivering, dat dit definitief 'thuis' was, dat ik bij die mensen hoorde en dat zij deel van ons uitmaakten, voor altijd.

Cheptosai bleef ondanks het klimmen van de jaren haast leeftijdloos.

Haar gerimpelde gezicht leek een stadium bereikt te hebben

waarin rimpels en de tekenen des tijds niet meer konden toenemen, een soort onveranderlijke eeuwigheid.

Klein en kaarsrecht als altijd, werd Cheptosai zo mager dat haar huid om haar botten spande; haar grijsgroene ogen, dof van de ouderdom, keken mij wijs en geamuseerd aan vanuit haar leren gezicht, waar verder weinig van af te lezen was, als van een oude kameleon.

Haar versleten *shuka* was om haar schouder gebonden als de mantel van een koningin, en het plukje stugge vlechten trilde op haar kruin als een kostbare kroon. Haar hele persoon straalde een enorme, koninklijke waardigheid uit, en als ze bij een ontmoeting, nadat we elkaar al enige tijd niet gezien hadden, me omhelsde met haar zeldzame krassende lach, beschouwde ik dat als een groot voorrecht.

Op een dag bereikte ons in onze post Corner Gate het bericht dat Cheptosai zo ziek was dat ze zich niet eens meer bewegen kon. Haar zoon Langeta was me dat bericht persoonlijk komen brengen.

Ik stuurde meteen Silas en Loforo naar hun *manyatta* in een Toyota bestelwagen en gaf hun een matras en een deken mee. Ik wist dat er geen tijd te verliezen was en bleef vol spanning zitten wachten.

Toen het geluid van rammelend ijzer op de keien hun terugkeer aankondigde, rende ik naar de auto. Ze zat op de voorbank, gehuld in haar deken, met haar ogen dicht, en de zware, opgezwollen wallen onder haar oogleden lieten haar buitengewone gelijkenis met een kameleon nog eens extra uitkomen. Haar hangende oren, op verschillende plekken doorstoken en nu zonder sieraden, omlijstten haar verwelkte gelaat, dat op het eerste gezicht geen tekenen van leven meer vertoonde.

Een familielid keek in stilte naar haar, zonder uitdrukking, zoals Afrikanen doen als ze zich zorgen maken.

Door het geopende raampje pakte ik haar schouder en ik voelde dat onder de *shuka* haar lichaam zo mager was als een skelet en brandde van de koorts.

Ze ademde reutelend.

'Cheptosai,' riep ik vriendelijk tegen haar, terwijl ik probeerde mijn stem bemoedigend te laten klinken. '*Cheptosai, ni mimi. Ni Guki.*' Ik ben het. Ik ben Kuki.

Ze deed haar ogen open – grijsgroene putten in de asgrauwe lava van haar gezicht – en aan haar uitdrukkingsloze blik zag ik dat ze heel ver weg was, en dat we haar al gauw niet meer zouden kunnen bereiken. Ik duwde de rand van haar ooglid omlaag, het was opgezwollen en ontstoken. De afdruk van mijn vinger bleef in haar kwetsbare huid staan.

Ze was helemaal uitgedroogd.

'Wanneer heeft ze vandaag voor het laatst gedronken?' vroeg ik in het Swahili.

'Vandaag heeft ze helemaal niet gedronken,' antwoordde de vrouw in het Pokot, via Langeta die vertaalde, 'en ze heeft niet gegeten.'

'Wanneer heeft ze voor het laatst gedronken of gegeten?'

De vrouw haalde haar schouders op.

'O, een heleboel dagen geleden. Ze wil niet eten.'

'Wat geef je haar te eten?'

'*Posho*. We hebben alleen maar *posho*. Ze wil geen melk.'

Ik huiverde bij de gedachte aan de harde halfrauwe maïsmeelklonters die door haar gevoelige keel hun weg naar binnen probeerden te vinden.

Uitgedroogd en koortsig was Cheptosai bezig dood te gaan van de honger.

Voorzichtig nam ik haar in mijn armen en zette haar neer op het gras onder een acacia. Ze leek een mummie, uitgedroogd, mager, met haar gesloten ogen en haar ontstoken indigo oogleden.

Ik rende naar de keuken en vroeg Simon om voor haar een van zijn beroemde versterkende kruidentheeën te maken: geconcentreerd, met veel melk, rijkelijk gezoet met wilde honing die geurde naar gember en kardemomzaden.

Die thee maak je door alle ingrediënten samen aan de kook te brengen, zodat de smaken en de specerijen zich mengen, en dan wordt het door een zeef geschonken. Het heet *kjeniegi-chai* – thee volgens traditioneel recept – en het is een echt wondermiddeltje.

Ik knielde voor haar op het gras terwijl ik het kopje thee en een lepel in mijn hand hield en zei: '*Amini mimi Cheptosai*.' Je moet me vertrouwen. Een paar druppeltjes maar. Proef eens. Ik zal je wel voeren. Kalm maar. Rustig maar.

Ze opende haar dunne lippen. Het roze vocht druppelde langzaam op haar gebarsten tong.

Ik wachtte tot ze moeizaam slikte. Na een poosje bracht ik nog een lepel thee naar haar mond. En nog een.

Toen ik zag hoe Cheptosai weer tot leven kwam door *kjeniegi-chai* te drinken moest ik denken aan natuurdocumentaires die versneld worden afgespeeld, waarin de bloemknoppen opengaan en een paar seconden later in bloei staan.

De snelheid van haar verandering was verbluffend. Voor het eerst speelde zich voor mijn ogen het mirakel van een terugkeer tot het leven af, dankzij de kracht van het vocht en de voedzame ingrediënten.

Er kwam weer leven in haar ogen, die zich zonder uitdrukking op mij richtten, en ze pakte mijn hand, waarmee ik de metalen lepel vasthield. Ze maakte een gebaar in de richting van het kopje en ik bracht het naar haar lippen. Dorstig als ze was, slikte ze met grote luidruchtige slokken het vocht op, zoals een zuigeling de melk, en even later was er geen druppeltje meer van over.

Toen keek ze me opnieuw aan – met de schaduw van haar vertrouwde glimlach in haar uitgeputte pupillen – en met een zwak stemmetje mompelde ze duidelijk, wijzend op Simon, die achter me stond met een thermosfles thee: '*Ngine*.' Nog een beetje.

Een bevrijdende lach klonk op uit het publiek en toen ik omkeek merkte ik dat er zich stilletjes een kleine menigte toeschouwers had verzameld.

Omdat ik me alleen maar op Cheptosai had geconcentreerd, had ik ze niet zien komen.

Silas, Epitet Lokoro en ons huispersoneel stonden aan de ene kant, en achter mij Simon, de tuinlieden en Muthee, de loodgieter die een pomp was komen repareren die de olifanten kapotgemaakt hadden. En aan de andere kant Langeta en Tomoko, met hun zwarte stoffige *shuka's* ter hoogte van mijn ogen, die de punten van hun Pokot-lansen in het gras gestoken hadden.

'*Yeye tapona tu*,' verklaarde Simon vol vertrouwen. '*Wewe alifania mzuri*.' Ze wordt weer beter, je hebt het helemaal goed gedaan.

De anderen beantwoordden zijn woorden met uitroepen van goedkeuring en opluchting.

'Cheptosai,' zei ik, '*saa yako badu*.' Jouw uur is nog niet gekomen. '*Mungu utaitua wewe siku ngine*.' God zal je een andere dag roepen.

Dat gebeurde meer dan vijf jaar geleden. Cheptosai werd weer helemaal beter, en het duurde niet lang of ik zag haar opnieuw, mager en kwiek als een sprinkhaan, mijlenver lopen op haar blote voeten, langs de paden van Ol ari Nyiro, op zoek naar haar geneeskrachtige kruiden.

Ze werd geholpen door de jongste dochter van Selina, haar kleindochter, Chepteset, wier uiterlijk – een rond gezicht, een hoog voorhoofd en lange botten – verrieden dat ze voor een deel van een Luo afstamde, *pater incertus umquam**. Ze richtte zich met respect tot haar oude verwante, en sprak haar altijd aan met *jojo*, oma.

Het meisje groeide op in de schaduw van haar oma, die ze diende en voor wie ze zorgde; ze is nooit naar school gegaan, en ik denk niet dat ze ooit heeft leren lezen en schrijven. Ze had oplettende en levendige ogen en niets van wat er om haar heen gebeurde ontging haar; ik vroeg me vaak af wat er zich in haar afspeelde, wat voor gedachten er achter haar mooie, ondoorgrondelijke gezichtje omgingen.

In augustus 2000 gingen haar moeder Selina en haar oom Korete voor het eerst in hun leven met mij mee naar Nairobi, om de première bij te wonen van de film *Ik droomde van Afrika*, gemaakt naar een van mijn boeken, een benefietvoorstelling waarvan de opbrengst onder andere bestemd was voor Selina en de vrouwen van Churo. Geen van beiden was ooit Naivasha voorbij geweest, waar ze eens met mijn chauffeur, Mutaba, naartoe gegaan waren, om de oudste zoon van Selina op te zoeken, die als *askari* op een farm werkte en erg ziek was geworden.

Nairobi verbijsterde hen. Gehurkt in de achterbak van een jeep, keken ze met verbazing naar de duizenden lichtjes van de winkels, de menigte onbekenden en het gekrioel van auto's en bussen, en ze weigerden uit te stappen.

'*Sisi nahangopa*,' Selina's ogen stonden heel groot in haar angstige gezichtje. 'We zijn bang,' vertrouwde ze me argeloos toe, want ik was het

---

* De vader is altijd onzeker.

enige vertrouwde gezicht in al die drukte. Uitgedost in hun huiden en gekleurde kralen leken ze exotische vogels, gevangen in een onwerkelijke dierentuin. Ik pakte hen bij de hand, vriendelijk maar beslist, en onder het mompelen van rustige bemoedigende woordjes, voerde ik ze mee, en gingen ze onwennig de eerste trap van hun leven op.

De première was een daverend succes en er werd voldoende geld bijeengebracht om een machine te kopen om graan te malen en om een magazijn te bouwen, de cadeaus die ze wilden hebben.

Hun aanwezigheid – naast die van Simon, die de hele tijd onbeweeglijk naast me bleef zitten en na afloop verklaarde dat de Simon van de film net zo was als hij – gaf aan de ceremonie die toets van echtheid die helaas ontbroken had aan de filmversie.

Selina was slechts een nacht en twee dagen van huis geweest, maar toen ze thuiskwam, was haar dochter weg.

Tijdens de afwezigheid van haar moeder hadden Chepteset en een vriendin, in de verwachting iets opwindends mee te maken, zich gewaagd naar een besnijdenis-ceremonie van een paar meisjes van hun leeftijd, niet erg ver van het dorp. Op de een of andere manier was ze zelf betrokken geraakt bij het ritueel, ze durfde niet te weigeren en – hoe gruwelijk het ook klinkt – ze werd besneden. Met geweld.

Deze oude barbaarse traditie bestaat uit het verminken van de vrouwelijke geslachtsorganen. De operatie wordt uitgevoerd door oude vrouwen die geen notie van hygiëne en geen enkele medische kennis hebben. Het roestige mes, dat scherp was als een scheermes, werd niet gesteriliseerd; hetzelfde mes werd gebruikt voor alle meisjes en natuurlijk werd er ook geen verdoving toegepast.

Het meisje mag zelfs geen spier vertrekken en ze mag absoluut geen angst tonen. Meestal is er – naast de moeder en andere vrouwen uit de clan die continu aanwezig zijn – ook een peettante bij haar, die de taak heeft om haar tot rust te brengen en te zorgen dat ze zich niet beweegt, door haar stevig bij de schouders vast te houden.

Chepteset was alleen geweest.

De doodsangst en de paniek van de arme Chepteset moeten gruwelijk geweest zijn. Selina – eens had ze me er kort over gesproken en daarom wist ik hoe ze erover dacht – had gehoopt haar jongste dochter die gruwelijke verwonding te besparen die zij ook had moeten ondergaan. Die ingreep had de intimiteit van haar vrouwenlichaam ruw gekwetst en haar hele leven bepaald, want haar talrijke bevallingen waren daardoor gevaarlijk en zeer pijnlijk geweest.

Toen ze me zelf in tranen kwam vertellen wat er gebeurd was, kon ik haar slechts in stilte omhelzen, als een zuster.

Nu het voorbij was, vereiste de traditie dat een nieuwe serie kettingen van glazen kralen de houten halsringen van wilde asperge vervingen die Chepteset van jongs af aan gedragen had, en Selina vroeg mij of ik die wilde kopen – de gift van een peettante – want zij kon zich de hoge kosten van geïmporteerde kralen niet veroorloven.

En zo ging ik dus na ongeveer een week, gewapend met een mandje vol met zakjes glazen kralen, zwart, rood, oranje, geel en erwtgroen, en met een paar snoerten schelpen, op een ochtend, vergezeld door Selina, Chepteset opzoeken.

Ik parkeerde mijn auto dicht bij de omheining van de westgrens van Ol ari Nyiro, voorbij de bocht van Lokwagalesh, en ging te voet verder naar het reservaat van de Pokots.

Het struikgewas werd dadelijk minder dicht, het gras, verslonden door al die geiten en kalveren die daar vel over been rondliepen, was bijna op, en de vervallen hut van Korete hing scheef op een stuk grond vol stof en vuilnis.

Honderd of tweehonderd meter verderop, in een dicht stuk doornstruiken, waarachter een kleine *boma* schuilging, verborgen Chepteset en haar vriendin zich voor vreemde blikken.

Haar sierlijke, ronde gezichtje zag er nog uit als altijd – of misschien al een tikkeltje gereserveerder en rijper? – en ze heette me welkom met een vreemde timide en beleefde glimlach, met neergeslagen ogen, als een volwassen vrouw.

'*Karam nyaman, Guki.*' Ik groet je, Kuki.
'*Karam nyaman.*'

Boven op haar hoofdje, beschilderd met rode oker, stond een vreemd ornament van felgekleurde langwerpige kralen, als een franje van glazen bessen, die haast tot over haar ogen liep.

Als ze eenmaal genezen was, zouden de mannen haar mogen zien en haar onmiddellijk ten huwelijk vragen in ruil voor een bruidsschat van vee, en dan zou zij dat sieraad afdoen en om haar hals een heleboel lagen elegante brede ringen dragen, gemaakt van de kralen die ze van mij had gekregen.

In gepeins verzonken reed ik langzaam huiswaarts en dacht aan Sveva, ook een dochter van Afrika, maar met een heel ander lot.

Zo is toch ook nog in mijn Laikipia het overgangsritueel gevierd.

V

EEN HONDENDYNASTIE

... ze was erg attent ten opzichte van de
gevoelens van honden en erg beleefd als
ze hun avances moest afwijzen.

GEORGE ELIOT, *Middlemarch*

Op het gras voor mijn kamer staan tien metalen kommen in de middagzon te blikkeren.

Dozijnen vogels pikken in de *posho,* die op de bodem vastgekoekt
zit, met een onophoudelijk gefladder van hun bonte vleugels.

Een paar tortelduiven, verschillende bulbuls, spreeuwen met don-
kerblauwe veren, en in het regenseizoen komen daar de wevervogels
bij die het papyrus uit de visvijver zorgvuldig in stukken scheuren,
om er hun vernuftige, sierlijke en stevige nesten mee te bouwen, die
aan de takken van de gele-koortsacacia hangen.

Kleine Mary en Grote Mary zorgen voor de pups.

Grote Mary is een Kikuyu-meisje dat een paar jaar geleden bij ons
is komen werken met als voornaamste taak om voor de honden te
zorgen, toen ik het niet langer aankon om de maaltijden van mijn tien
Duitse herders klaar te maken, ze schoon te houden en hun wekelijkse
bad te geven om ze van de teken te bevrijden, de regelmatige lichtin-
gen puppies op te voeden en de tijdens de jacht opgelopen verwon-
dingen te verzorgen. Ze is stevig, weet van aanpakken, heeft een lief
karakter en is dol op dieren.

Kleine Mary daarentegen is sierlijk en van een verfijnde schoonheid; ze hoort tot de stam van de Jemps, en komt uit Mukutanì, in het
district Baringo, aan de andere kant van de heuvels. Ze heeft het gezicht van een Koptische madonna, haar ogen omhooggericht, zo
groot dat haar gezicht daarbij in het niet valt, heel fijne gelaatstrekken
en een bevallig figuurtje. Ze is intelligent en beleefd.

Van huis uit heb ik geleerd om van honden te houden en respect voor ze te hebben. Ik ben altijd gesteld geweest op hun geduld, trouw en totale overgave, hun gevoel voor humor en hun oprechte vriendschap.

In Italië had mijn vader altijd foxterriërs gefokt, en ik had een paar nakomelingen van hun stamvader gehad, een zenuwachtige en hoogst intelligente, bijna witte reu, die Biri heette. Daarna had ik Moshe geadopteerd.

In Kenia was alle ruimte beschikbaar die we nodig hadden, en zo is mijn leven in de loop der jaren opgevrolijkt door een zeer uitgebreide dynastie van Duitse herders. De eerste was Gordon, mijn lievelingshond, en de laatste was Grey, de nieuwe koning, die de verontrustende staalgrijze ogen van een echte wolf heeft.

In Laikipia komen er voortdurend nieuwe honden in mijn leven, geboren in het verlaten hol van een wrattenzwijn, vlak buiten mijn tuin, onder de bank in mijn slaapkamer, of in geheime schuilplaatsen in de struiken.

De moederhonden dragen hun jongen 's nachts in hun bek van de ene schuilplaats naar de andere, en deponeren ze onder bougainvillestruiken of aloëhagen of onder mijn bed. In het begin lijken het kleine blinde mollen met ronde buikjes, maar weldra worden het slimme, levendige puppies, die achter elkaar aanrennen, zich overgeven, onvermoeibaar rollebollen over het gras van Kuti en achter vlinders aanzitten, steeds met dezelfde, van generatie op generatie overgeërfde bewegingen. En als ze volwassen zijn, worden ze rustig en braaf, en zijn het dierbare vrienden.

Soms wagen roekeloze aapjes zich in onze tuin, op zoek naar vruchten of wilde bessen, die net gerijpt zijn aan de bomen. Mijn honden gaan dan onder de boom zitten, waar de aap zich heeft neergezet en onbeweeglijk, met hun kop omhoog, houden ze een geduldig beleg, dat uren kan duren, tot ik ze weet af te leiden en de aap ervandoor gaat, springend over de toppen van de peperbomen, als een vreemde vogel, met zijn grijpstaart die zich aan de takken vastklampt.

Als er een schaap of kameel doodgaat en het karkas voor de honden naar Kuti gebracht wordt, wil het wel eens gebeuren dat de stank een luipaard aantrekt. Zijn ritmisch gebrom, als het gonzen van een zaag, brengt mijn honden in alle staten, want luipaarden houden erg van hondenvlees en worden in Afrika als hun ergste vijand beschouwd. Bruce, de hond van Sveva, is niet meer teruggekomen van een avondwandeling, en mijn oude trouwe Donald, die achter mijn auto aanrende, werd nooit meer gezien; uit hun sporen op te maken, die in de lucht leken op te gaan, begrepen we dat een luipaard ze te grazen had genomen.

Tegelijkertijd jagers en buit, hebben mijn honden een leven vol opwinding en impulsen. Ze volgen oeroude ritmes die hun onfortuinlijke, maar wel langer levende neven uit de stad niet meer kennen.

Vroeg in de ochtend trekken ze eropuit, en volgen sporen van wilde dieren. Het is niet het motorgeronk van vreemde auto's of het geblaf van andermans honden dat ze meteen herkennen, maar het huilen van de hyena, het dof gebrom van de luipaard en het krachtige gebrul van de leeuw.

Bepaalde geluiden zijn typisch Afrikaans: het plotselinge woeste trompetsalvo van de olifant, de hysterisch lachende hyena en de kikkers, zinderend van leven en sensualiteit, in de maanloze nachten van het grote regenseizoen.

Maar de ware stem van Afrika bestaat vooral uit het gebrul van de leeuw, diep, ritmisch en dreigend.

Vaak hoor ik 's nachts een vreemde bijklank in het geblaf van mijn honden; dan staan ze allemaal onbeweeglijk in een halve kring op het gras voor mijn kamer, met hun haar stijf rechtop in hun hals, als bij hyenahonden. Ze laten een eentonig geblaf horen in de richting van de duisternis, en dan begrijp ik, nog voordat ik zijn geluid gehoord heb, dat er een leeuw langs de heg loopt, achter het gastenverblijf.

Als we zitten te eten, onderbreken we ons gesprek, met onze hap eten halverwege in de lucht. De kaarsen op tafel flakkeren en we kijken elkaar aan: 'Leeuw', zeggen we, instemmend knikkend, of, als ik alleen ben, kijk ik naar Mary of Dorcas en mompel 'simba'.

Terwijl ik dat zeg, beginnen de honden weer te blaffen, en het is of het lawaai van het leeuwengebrul en het hondengeblaf de nacht vult tot in zijn uiterste grenzen – een holle fluwelen bol, vol sterren en plotselinge windvlagen en verre geluiden – en of alles meebrult met de leeuw.

Maar als ik in bed lig, in mijn kamer vol vleermuizen – die langs de schoorsteenmantel naar beneden gaan als de as koud wordt en met een onophoudelijk gefladder van hun vleugels jacht maken op de nachtvlinders buiten mijn klamboe –word ik wakker en sta ik te luisteren. Iedere keer is dat weer even opwindend als de eerste keer.

Mijn honden vonden het leuk als ik met Simon aan het koken was en hem een nieuw gerecht leerde. Ze lagen dan aan mijn voeten en om mij heen, zo dicht op me dat ik me niet kon bewegen. Ze vormden een barrière van strakke, oplettende ogen, waaraan niet de geringste van mijn bewegingen ontging. Ze wisten dat ik hun vroeg of laat een bot, een stuk vlees of een parelhoenlevertje toe zou werpen; ze pakten de hapjes aan met een droge klap van hun gebit, een voor een, gedisciplineerd, in vol vertrouwen dat iedereen aan de beurt zou komen, want ik lette er goed op dat ik onpartijdig bleef. Alleen als ik er bij vergissing een oversloeg, ontstond er een korte vechtpartij met veel gegrom. In de middag ging hun rustige gehijg gepaard met de rauwe kreten van de toerako's, die omzichtig over de toppen van de acacia's trippelden en de meest verse uitlopers opaten.

Af en toe verdween er een stuk gebraad dat, omwikkeld met keukendraad en voorzien van geurige kruiden, klaarstond om in de houtoven gestopt te worden, die bestond uit een dubbele bak van golfplaten en die wij voor de pizza's gebruikten. En hoewel hij deed of hij van de prins geen kwaad wist, verried de dief zich door slechts twee of drie blaadjes rozemarijn, geplakt op een vochtige neus.

Mijn honden groeien snel bij ons in de heuvels en al gauw zijn het oude veteranen, die al van alles meegemaakt hebben.

De stichters van mijn hondendynastie heetten Gordon en Nditu.

Alle mannelijke nakomelingen van Gordon hadden Schotse namen net als hij, en ieder op zijn wijs had een speciaal plekje in mijn hart, maar sommige waren echt heel bijzonder, zoals Bella's zoon Hector.

Voor een verjaardag van Emanuele had Aidan, fijngevoelig en attent als altijd, mij een Duitse-herderteefje cadeau gegeven: een levend geschenk en nieuw bloed voor mijn kudde inteeltwolven.

Het was een pup van een paar maanden, slank en soepel in haar bewegingen, met glanzende vacht en waakzame oren, en ze kon geweldig rennen, als een hazewind. Ik noemde haar Bella. Ze was lief, aanhankelijk, liet niet met zich sollen en kon eindeloos veel vlees aan. Op een keer toen ik in het buitenland was en Bella nog maar amper zeven maanden oud was, werd ze voor het eerst loops, lang voordat het haar tijd was, en ze dook de struiken in met Fergus, een knappe reu met lang blond zijden haar, die ze onweerstaanbaar moet hebben gevonden. Het resultaat van dit avontuur waren twee maanden later drie piepkleine puppies, waarvan er twee bijna meteen doodgingen.

Ze was geen goede moeder. Te jong nog om de drang van haar instinct te voelen, had Bella het nest verwaarloosd. Ze wilde niet zogen en liet het enige overgebleven jong alleen en hongerig achter, in zijn mand, die bedekt was met een jutezak en gevuld met houtspaanders. Ik was bang dat het met hem net zo zou aflopen als met de andere twee, maar op mysterieuze wijze bleef hij leven.

De kennel – voor een deel bedekt met een dak van golfplaten en voor een deel open – was verdeeld in twee ruimtes, gescheiden door een stevig metalen hek. Als er geen zieke honden of loopse teven waren, werd een van die beide ruimtes gebruikt om er het vlees in op te hangen dat voor de honden bestemd was, en om het meel voor hun *posho* te bewaren.

De pup, die veel alleen was en honger had, had naast zijn kooi het karkas geroken van een kameel, die door een leeuw gedood was.

Hij leerde hoe hij tegen het hek op moest klimmen om het vlees te stelen. Op een dag ging ik kijken hoe hij het maakte en daar zat hij, zo klein als hij was, met een stuk vlees in zijn bek, waar hij dwars door het hek heen zijn tanden in had weten te zetten. Hij schudde dat vlees met grote rukken van zijn hals heen en weer, om er stukjes van af te bijten. Pas toen begreep ik waarom dat lijfje zulke merkwaardige proporties had, met zijn stierennek en stierenhals, haast grotesk in vergelijking met zijn scharminkelige puppie-achterpootjes.

Hij trilde van opwinding en zijn halsspieren waren gespannen in de poging om bij zijn maal te komen. Getroffen en verrast door zoveel vasthoudendheid nam ik hem in mijn arm, tilde hem voor me omhoog, en vertroetelde hem, maar haast liet ik hem nog vallen, want uit het roze tandvlees van zijn jonge-hondenbekje staken twee extreem lange, vampicrachtige hoektanden, als van een volwassen hond, die zich ontwikkeld hadden door zijn voortijdige carnivorendieet.

Vanaf die dag nam ik persoonlijk de zorg voor hem op me en liet ik hem regelmatig voedzame maaltijden geven, op basis van vlees, want hij zou nu niet meer aan papjes kunnen wennen; al gauw ontwikkelde heel zijn lichaam zich, het werd even sterk als zijn tanden en zijn hals, en in enkele maanden veranderde hij in een atletische jonge wolf.

Ik noemde hem Hector, en hij volgde mij als een schaduw.

Het leven van mijn honden is kort, heftig, avontuurlijk, maar vol liefde en geneugten van het leven. Ze voeden zich vaak met karkassen die een leeuw heeft achtergelaten en die ze dan in de savanne vinden, en ze gedragen zich als een echte roedel: de teefjes worden allemaal tegelijk loops en voor de paring trekken ze zich discreet in de bush terug. In de savanne ontbreekt het niet aan avonturen voor grote jagers als zij, maar ze worden ook gebeten door ontelbare schadelijke insecten en, evenals de wilde dieren waarmee ze hun territorium delen, lopen ze ziekten op, die hun tammere soortgenoten bespaard blijven. De tseetseevliegen en de teken zijn het gemeenst, want je ziet hun beten niet zo gauw en als ik er niet ben hebben ze vaak pas laat in de gaten dat ze erg ziek zijn, als het geen zin meer heeft om in te grijpen.

Als ik niet thuis ben, voelen mijn honden zich eenzamer, ze missen het verlichte huis, de etensgeuren, de stemmen en de muziek, het komen en gaan van mensen, de aangestoken vuren in de avond en de liefdevolle gebaren die ze met mij associëren: een krabbel over de neus, een aai over hun vacht, liefdevolle woordjes die kennelijk tot hen gericht zijn. Ze gaan vaker van huis weg, om opwinding te zoeken in de Afrikaanse nacht, waarbij ze zich aan ernstige gevaren blootstellen. Overdekt met lelijke wonden keren ze terug van een ontmoeting met bavianen of wrattenzwijnen, en soms komen ze helemaal niet meer terug.

Als ik van een reis thuiskom ben ik altijd bang dat de een of ander van mijn vrienden er niet meer is.

Maar voor mijn hondenfamilie was er geen erger jaar dan 2000, een jaar waarin ik meer dan anders reisde voor mijn stichting en voor het promoten van de filmversie van mijn autobiografie.

Op 11 mei 2000 schreef ik in mijn dagboek:

Vier van mijn honden zijn gestorven tijdens de drie weken dat ik weg-
geweest ben. Hun afwezigheid kleurt het lege grasveld met schimmen
van verdriet. Vier nog verse grafheuvels achter de *muridjo*-struik, vlak
bij de graven van Paolo en Emanuele.

Jack: mooi en bescheiden, een bekwaam jager, overleden aan de gevolgen van een tekenbeet. Flynn, majestueus en vroeg oud, de vader
van deze nieuwe generatie pups, verdronken in de visvijver waar hij
niet uit kon komen, verzwakt als hij was door de beet van een tseetseevlieg. Rosie, geëlektrocuteerd in de tuin in Nairobi, toen er tijdens een
onweer een hoogspanningskabel in het gras viel en zij nieuwsgierig op
onderzoek uit ging. En Callum, de mooiste en grootste van allemaal,
een eeuwig hongerige schrokop, ook aan koorts. Alleen Hector, mijn
lievelingshond, de trouwste, de erfgenaam van Gordon, is nog over.

Maar ook Hector zou het niet lang volhouden. Toen ik terugkwam
van een volgende reis, was hij ook dood, alweer een slachtoffer van de
tseetseevlieg.

Ja, ik heb gehuild op de hoop stenen en aarde waar zijn lichaam gehuld in een zak was neergelegd, stug en stijf in de dood, dicht bij de
botten van zoveel voorouders. Ik dacht treurig, met een gevoel van
schuld, aan zijn laatste dagen, toen hij al voelde dat zijn krachten
weken, maar toch volhield, in de hoop, op zijn trouwe-hondenma-
nier, dat de kracht van zijn liefde en zijn verlangen mij naar huis terug
zouden brengen, om voor hem te zorgen en voor het laatst zijn snoet
te strelen.

Maar er was geen tijd meer geweest voor een laatste 'Hoe gaat het
met je, lieve Hector', zoals ik altijd tegen hem zei als ik van een lange
reis terugkwam en hij onveranderlijk de eerste was die op de vleugel
van het net in Kuti gelande vliegtuig sprong, bezitterig, jankend van
geluk. Er was geen tijd geweest voor een laatste nacht om te dromen
van de jacht, op de vloer van mijn kamer, voordat de schaduw van de
dood hem bereikte.

Een andere bijzondere hond was een jonge teef die Sky heette.
Op 16 oktober 2000 schreef ik in mijn dagboek:

Het overgebleven puppie – haar zus is een week geleden door een leeuw gedood en zij is op de een of andere manier erin geslaagd om in leven te blijven – die met de grappige afgestompte staart die we Sky noemen, net als het eiland ter hoogte van Schotland, is niet teruggekeerd uit de bush, waarheen ze de anderen gevolgd was voor een strooptocht.

Het regende de hele nacht na haar verdwijning en ook de nacht daarop, en vanuit mijn gerieflijke bed, onder een dekbed met een warme kruik en de flikkerende vlammen van het *lelechwa*-vuur voor me, dacht ik treurig en machteloos aan haar rillende ijskoude lijf in de aanhoudende regen, hoe ze misschien vastzat in de modder, of in een boom in de muil van een luipaard, of misschien doodsbenauwd en bloedend in een kuil onder een euclea, verwond door een wrattenzwijn, terwijl haar bloed in het slijk sijpelde.

En de volgende dag, 17 oktober:

Wat ik vreesde dat Sky was overkomen was een duidelijk voorgevoel geweest. Dat had een sterk beeld voor me opgeroepen, dat merkwaardig precies met de werkelijkheid overeen bleek te komen.

Vanochtend, toen ik wanhopig rondkeek op het gras, en me probeerde voor te stellen waar ze wel zou kunnen zijn – we hadden nergens een spoor gevonden na de regen van de vorige nacht – was daar opeens een uitbundig gekwispel en daar waren mijn honden weer, uitgeput, met hun tong uit de bek. Toen de groep uiteen ging en de honden hijgend her en der verspreid waren gaan zitten of liggen, zag ik wat roods op het gras en hoorde Grote Mary, gebogen over een rillend lijfje, uitroepen: '*Ni Sky! Kwisha rudi!*' Dat is Sky. Ze is teruggekomen! En Kleine Mary kwam ook aanrennen. Gezamenlijk bogen ze zich bezorgd over de hond, en daarna wendden ze zich tot mij om me erbij te roepen. Maar ik was er al, en daar lag mijn kleine Sky, rillend van de kou, klappertandend en zo zwak dat ze niet eens haar kop op kon tillen.

Het was haar gelukt om zich naar huis te slepen, na twee nachten bloedend in de regen gelegen te hebben, en met haar laatste krachten was ze tot de deur van mijn kamer gekomen.

Het lichte gedeelte van haar borst vertoonde een groot gat in het midden, een diepe wond veroorzaakt door de slagtand van een wrattenzwijn. Haar tandvlees was bleek van het bloedverlies, maar haar neus was vochtig, en toen ze me zag probeerde ze te kwispelen.

Ze dronk dorstig de schuimende melk die ze haar in een kom gaven, en nadat ik haar geschoren en gedesinfecteerd had, gaf ik haar happen rauwe lever, die ik haar voerde als een ziek kind. Ze likte aan mijn vingers en keek mij vol aanbidding aan, met haar zachte vochtige gazellenogen.

Ik wist dat Sky een ontembare geestkracht had en in leven zou blijven.

Maar nu nog steeds, meer dan een jaar later, als er 's nachts een leeuw in de buurt van mijn tuin komt, staat Sky, die vlak voor mijn deur slaapt, op en begint te janken met een onnatuurlijk loeiende klank, een eeuwenoud geluid, eentonig en intiem tegelijk. Dat komt van duizenden jaren strooptochten in de prairies, en van generaties wolven. Het is een soort instinctieve erkenning vol respect van de superieure kracht van de grote katachtige, die aan de grenzen van mijn tuin rondzwerft.

Dan roep ik haar zachtjes en komt zij met hangende kop naar me toe om geaaid te worden, maar in haar ogen lees ik haar moed, en de herinnering aan de leeuw.

VI

EERT DE KRUIDEN

Eert de kruiden: hun kracht is
verborgen, maar bestaat wel.
PARACELSUS

Toen Paolo en ik voor het eerst door Ol ari Nyiro reden, en ik probeerde de ruimte en schoonheid van dat landgoed goed in mij op te
nemen, werden wij bevangen door een plechtstatige stilte, bij het idee
dat wij zouden gaan uitmaken wat het lot van deze buitengewone
plek zou worden. Het was of er van boven een dunne doek over ons
was uitgespreid. Wij zeiden niets.

Ik was totaal van de kaart.

Nieuwsgierigheid, opwinding, angst voor het onbekende gingen
gepaard met een brandend verlangen om mijn toekomstige thuis te
leren kennen: een heel andere plaats dan de vertrouwde oevers van
mijn jeugd en bovendien heel ver daar vandaan.

Het hart van Afrika aan de rand van de Grote Rift was de plek waar
ik voortaan zou wonen.

Overal om ons heen bevond zich een dicht struikgewas, waar je haast
niet doorheen kon komen. Het was een mengsel van bloemen, allerlei
soorten struiken en echte bomen.

Op sommige plekken groeiden overwegend de Gerardie-acacia's
en de donkergroene euclea, en de donkere leemgrond was schaars bedekt met vergeeld gras. Waar het land rossig en korrelig werd, was de
struik die je het meest zag een boompje van hooguit twee meter, met
een grijze, houtige stam, een gerimpelde bast en bossen zilveren en
fluwelen bladeren die uitliepen in een pluk witte bloemen.

'Wat is dit voor struik?' vroeg ik Paolo. 'Hij lijkt overal te staan, alsof het een monocultuur is, maar buiten de grenzen van ons landgoed heb ik hem nergens gezien.'

'Bij de Masai heet hij *lelechwa*, omdat de bladeren bijna wit zijn. Het is een woekerplant, hij lijkt geen enkel nut te hebben, geen dier eet ervan, er nestelen geen vogels in en de insecten mijden hem...'

Tot aan de verre horizon leken de heuvels met deze plant bedekt te zijn; zijn doordringende, aangename geur was helder als de hemel tijdens een zonsopgang op de hoogvlakten.

Later ontdekte ik dat het de favoriete schuilplaats was van de zwarte neushoorns en van de buffels, die het prettig vinden om daar in de schaduw te slapen en zich tegen de bladeren aan te schurken.

Ik heb nooit begrepen waarom het woord 'onkruid' zo'n negatieve klank heeft. Een onkruid is alleen maar een plant die we uit tijdgebrek niet goed hebben leren kennen, en die groeit waar wij hem niet kunnen gebruiken.

Bovendien kwam de *lelechwa* bij ons zoveel voor dat we hem moeilijk onnuttig konden vinden. Het was duidelijk een inheemse plant, die perfect aangepast was aan zijn barre omgeving. De olifanten, vraatzuchtig en altijd bereid om hun tanden te zetten in elke exotische plant die wij waagden te introduceren, waren helemaal niet geïnteresseerd in de *lelechwa*, en daarom hoefden we hem zelfs niet te beschermen met ingewikkelde en dure omheiningen, die onder stroom stonden.

Bovendien merkte ik dat op enkele plaatsen op het landgoed, waar de volledige begroeiing door een brand vernietigd was en nu langzaam weer opkwam, de jonge krachtige *lelechwa*-loten eerder groeiden dan alle andere planten en dat ze met hun fluwelen gebladerte weelderige spikkels vormden op het rode *murram*-terrein. Het was duidelijk dat kronkelige wortels ervan, diep in de steenrijke grond, tussen holen van wrattenzwijnen en labyrinten van termietenheuvels, hadden weten te overleven.

Intuïtief voelde ik dat dit erg belangrijk was. Als zo'n onverwoestbare plant voor iets nuttigs gebruikt zou kunnen worden, in plaats van gezien te worden als nutteloos of schadelijk, dan zou ik kunnen aantonen dat in de boezem van de rijke biodiversiteit van Afrika alles zijn reden van bestaan en zijn toepassing had.

De planten zien ons gaan en komen, maar houden zich stil en bewaken alle geheimen die wij in onze hoogmoed nagelaten hebben te onderzoeken.

Omdat hij inheems is, kan de *lelechwa* uit deze arme, uitgeputte rode grond de energie en de voedingsstoffen halen die hij nodig heeft om te groeien. Krachtig, niet geliefd bij de olifanten en bij vrijwel alle andere planteneters, brandbestendig, insectenwerend en gewend aan de droogte, groeit hij zonder te vragen om meststoffen, irrigatie of enige andere verzorging: je hoeft hem slechts af te snijden en te verzamelen, in het besef dat hij meteen weer zal opgroeien.

Een ideaal product, als we er tenminste een bestemming voor konden bedenken. Ik beloofde mezelf dat ik zou proberen zijn geheime mogelijkheden te onderzoeken en er iets nuttigs uit te halen.

De jaren gingen voorbij en mijn gedachten waren bezig met andere problemen, van een ernstiger aard. Paolo kwam om bij een verkeersongeluk toen ik zwanger was van onze dochter. Sveva werd geboren, een bloedmooi zonnekind. Daarna volgde Emanuele zijn vader, door een beet van de slang.

Te hunner nagedachtenis richtte ik een stichting op, met als doel het milieu en iedere mogelijke toepassing van de natuurlijke hulpbronnen te bestuderen. Hiermee wilde ik aantonen dat de aanwezigheid en de activiteiten van mensen in Afrika harmonieus samen kunnen gaan met milieubehoud: duurzaam gebruik van de bronnen die de natuur ons verschaft is de sleutel voor hun voortbestaan. Opvoeding, bescherming van plant en dier en onderzoek waren van wezenlijk belang voor het succes van mijn kruistocht.

Grijs en massief sliep de neushoorn onder de struiken witte *lelechwa*; hij snurkte en uit zijn brede, droge neusgaten kwam een diepe zucht, alsof er een dinosaurus uitademde.

Het was vaak erg moeilijk om neushoorns in de dichte vegetatie te zien, en nu lag hij daar zomaar.

Zoals bij leeuwen, olifanten of bij de luipaard die in een kooi beland is omdat hij op heterdaad betrapt werd op het verslinden van een lam, is de ervaring om zo dicht bij een wild dier te zijn bizar en intimiderend: je bent niet op je gemak en hebt het gevoel een indringer te zijn, alsof je bezig bent een mysterie te ontwijden.

Om hem heen waren veel mensen druk bezig.

De Duitse veearts, die hem verdoofd had met een pijl die een krachtig slaapmiddel bevatte, stond naast het dier, en goot oogdruppels in zijn geloken ogen onder de zware oogleden, opdat ze niet te veel zouden uitdrogen.

Een half dozijn *rangers* wisselde elkaar af en gooide met regelmatige tussenpozen emmers water op zijn dikke, rimpelige huid, waardoor hij fris bleef en niet uitdroogde, terwijl de wetenschappers monsters urine en bloed afnamen. Iain Douglas Hamilton, de beroemde olifantenkenner, met wie ik goed bevriend was, nam foto's, samen met zijn dochters Saba en Dudu, en Sveva stak nieuwsgierig een aarzelend handje uit om de machtige, donkere huid van het ingeslapen dier te voelen. Rob Brett, de wetenschapper die voor de stichting werkte en verantwoordelijk was voor de hele operatie, de eerste in zijn soort in Kenia, was bezig in de voorste hoorn een gat te boren zodat hij er een minuscuul zendertje in kon stoppen.

In de zinderende middaghitte was de lucht van verbrande nagels te ruiken.

Dit was onze eerste neushoorn die voorzien werd van een zendertje, waardoor we zijn verplaatsingen konden volgen, zijn ontmoetingen met andere neushoorns konden registreren en ons ervan konden vergewissen dat hij niet de veilige grenzen van ons landgoed overschreed en zich waagde in gebieden waar zijn leven niet zeker was, of liever gezegd, waar het zeker was dat de stropers hem zouden doden, zoals al met veel andere neushoorns gebeurd was.

Wat mij het meeste opviel was het feit dat de huid van dat oude dier er zo merkwaardig fris en nieuw uitzag, alsof hij net geboren was. Het was een volwassen exemplaar, met een stel lange hoorns, en toch was er geen schrammetje te zien.

'Kijk eens naar die huid.'

'Wat is daar voor vreemds aan?'

'Hij is gaaf, glad... geen litteken, geen etterende schram, geen infectie, geen kluitje teken. Een parelgrijze huid, elastisch en schoon. Als nieuw.'

Het was verbijsterend en ik weet nog dat ik meteen dacht: Dat komt vast van de *lelechwa*.

Ik raakte helemaal in de ban van mijn verlangen om achter de oorzaak te komen.

Misschien kwam het door iets wat het dier at.

We zetten meteen een onderzoek op naar de lievelingsplanten van de neushoorns. Het was een bijzonder belangrijk project, want de neushoorns zijn inheems in Ol ari Nyiro en voorzover wij weten hebben ze dit leefgebied al gekozen op het moment dat ze op aarde verschenen: hun uitstekende gezondheid was beslist te danken aan een ideaal dieet. De Keniase regering was bezig neushoornreservaten op te richten in gedeelten van het land waar nog nooit neushoorns gesignaleerd waren, zoals het park van Nakuru. Hoe konden we erachter komen of ze ook daar alles zouden vinden wat ze nodig hadden om in vorm te blijven?

Het onderzoek leverde uiterst interessante resultaten op, maar ik wist dat het dieet alleen de afwezigheid van littekens en infecties niet kon verklaren.

Ook al was hun huid gezond, toch was het duidelijk dat ze onmogelijk schrammen, snijwonden, insectenbeten en bijgevolg infecties konden vermijden.

Datgene waar ze zich tegenaan schurkten moest iets zijn wat de ziektekiemen doodde, een soort antisepticum. En dat was de *lelechwa*.

Met toestemming van de minister van Milieu, hadden we de houtige stengels van deze plant al verzameld en er via een speciaal systeem een 'ecologische' steenkool uit gehaald, terwijl de wortels gebruikt werden om er kunstnijverheidsvoorwerpen van te maken. Nu begon ik mij te interesseren voor de eigenschappen van de bladeren en leerde ik hoe je er etherische oliën uit kunt halen: in de loop der jaren is uit onderzoek gebleken dat ze een krachtig desinfectiemiddel bevatten, een tovermiddeltje om de meeste onvolkomenheden van de huid mee te genezen, van schrammen tot puisten, van roos tot aan zwemmerseczeem, en dat er shampoo van gemaakt kon worden om de honden van hun parasieten af te helpen, of crèmes om acne te doen verdwijnen en muggen weg te houden.

Ik begon die producten op commerciële basis te winnen, waarbij ik de *lelechwa* gebruikte als een oogst die zichzelf voortdurend vernieuwde.

Ik had met groot succes aangetoond dat deze bijzondere struik waarde had, en daarom keek ik rond of er nog andere waren, mij concentrerend op de meest voorkomende planten, die een continue bron van grondstoffen konden vormen.

De miljoenen kronen van de jasmijnbloesem die na de regens uitkomen lijken net op laaghangende wolken die zich uitbreiden tot aan de horizon.

Op de weelderige bleekgroene struiken zitten witroze plukjes die de heuvels bespikkelen als juwelen. Hun intense, maar verfijnde geur wordt getemperd door een vleugje vanille en karamel, en de hete roerloze lucht is ervan doordrongen als door een sensueel briesje van een enorm boudoir.

De Masai noemden deze plant *lemuria* en die naam is in de loop der jaren door alle verschillende stammen van dit deel van Kenia overgenomen.

Er zijn allerlei soorten jasmijn in Ol ari Nyiro: de traditionele 'veelbloemige', die heel teer bloeit met doorschijnende bloemkelken, een paar klimplanten met heel kleine blaadjes, en de boom, eigenlijk geen echte jasmijn, die door de plantkundigen *Carissa Edulis* genoemd wordt. Zijn fruitige aroma, zo fijn dat het niet na te maken is, wekt weemoed naar elegante dingen van weleer, en is ook een belofte van toekomstig genot.

Na enkele weken veranderen zijn bloemen namelijk in harde rode bessen, die naarmate ze rijpen steeds donkerder en zachter worden; dan zetten allerlei vogels, vreemde insecten en alle *toto's* de aanval in, want de vruchten zijn heel lekker, zoet en rijk aan vitamines, een echte lekkernij.

Ook wij verzamelden ze natuurlijk. Op de augustus- en septembermiddagen, als de zon zijn verzengende kracht heeft verloren, namen Sveva en ik vaak manden mee en reden in onze auto omhoog langs de heuvels voorbij Kuti, tot aan de oude Boma ya Taikunya, waar ons talloze bloeiende struiken wachtten. Dan begonnen we te plukken.

We brachten onze buit naar Simon – onze gezichten rood besmeurd en onze vingers plakkerig door het kleverige, zoete sap – en dagen lang wasemden er wolken stroperige damp uit de keuken. Daar stonden in grote *sufuria*, geplaatst op een rij *jikos* vol houtskool, jam en gelei van de *lemuria* vrolijk te pruttelen, waar we tot aan het volgende seizoen talloze desserts of sauzen voor bij het wildbraad van konden maken.

Pas later kwam ik erachter dat van de *lemuria*-wortel een krachtige kruidenthee gemaakt kan worden, iets wat het midden houdt tussen een afrodisiacum en een versterkend middel. Het had iets van de Koreaanse ginsengwortel, maar in vele opzichten werkte het stukken beter.

Dit soort *chai* was erg in trek bij bejaarden, want deze gold als een geneesmiddel tegen" reumatiek en verkoudheid. Ze gaf een flinke stoot nieuwe energie en kracht aan verstijfde, vermoeide ledematen.

Ik heb een droom: van Ol ari Nyiro in Afrika een wereldcentrum van etnobotanisch onderzoek te maken, zodat dat uitzonderlijke natuurlijke milieu behouden kan blijven, voor de mensen in Kenia en voor de hele planeet, en om te laten zien dat er echt altijd iets nieuws te ontdekken valt in Afrika.

VII

STRUISVOGELEIEREN

Ex ovo omnia.*

WILLIAM HARVEY, *De Generatione Animalium*

Midden in het droge seizoen op Ol ari Nyiro verschenen plotseling de struisvogels. Ik had geen idee waar ze zich in de lange regenmaanden verborgen hadden, maar ineens draafden ze over de paden, stonden ze te pronken voor onze auto, en liepen een beetje schuin, met hoog opgetilde knieën, alleen, of nog vaker in paren.

Groepjes grijsgrauwe vrouwtjes, vergezeld van een eigenwijs mannetje, wit met zwart met rode puisterige poten, wandelden majestueus door de vlakte. Ze bewaakten hun nest zeer fel. Toch gebeurde het vaak dat een hyena, een troepje bavianen of een sluwe witstaartmangoest die nesten onbeheerd aantrof. Dan stalen ze er de eieren een voor een uit.

Maar de slimste rover was de monniksgier. Die had geleerd om met een steen stevig tussen zijn poten geklemd boven het nest te vliegen. Als hij op een bepaalde hoogte was gekomen liet hij die steen op het nest vallen. Zo brak hij het gladde crèmekleurige ei, en dan kwam hij naar beneden om zich tegoed te doen aan de dikke, gele dooier. Als dat gebeurde, verliet de struisvogel het gedoemde nest en ging ergens anders eieren leggen. Zo verzekerde ze, met een praktisch, onsentimenteel opportunisme, het voortbestaan van haar soort.

Omdat we wisten dat de achtergelaten eieren toch nooit uit zouden komen, haalden we ze weg om ze als versiering te gebruiken of, als het nest nieuw was en de eieren nog vers, om ze op te eten.

---

* Alles komt uit het ei.

We voelden ons als Gulliver bij de reuzen bij het aanschouwen van zo'n enorme dooier van een ongelooflijk, reusachtig gebakken ei. Maar de beste manier om ervan te genieten was om het te gebruiken voor een omelet voor ons ontbijt of er een roerei van te maken voor een groot feest: één struisvogelei komt overeen met dertig kippeneieren.

Wilde basilicum is een erg geurige, eetbare basilicumsoort, die in Kenia in het regenseizoen overvloedig te vinden is op schaduwrijke plekken. Hij is heerlijk als hij fijngehakt wordt toegevoegd aan een romige, gekruide soep, maar hij is ook de ideale garnering voor de reusachtige omeletten van struisvogelei.

Van jongs af aan heb ik altijd van de ovale vorm gehouden: eieren als voorwerpen van absolute perfectie.

Mijn fascinatie voor eieren was begonnen op een dag toen ik, nauwelijks twee jaar oud, met een stokje in het zand stond te porren, vlak bij de hoge schoorsteen van de spinnerij van mijn opa in Crespano, en een paar kleine vaalgele eitjes met bruine spikkels vond.

Ze lagen in een klein holletje vlak onder de oppervlakte, en ik heb er lang naar staan kijken, met het gevoel dat ik een geheim geschonden had.

Ze zagen er breekbaar uit, maar tegelijk stevig, en zonder verdere uitleg had ik al door dat er iets belangrijks in zat, iets geheimzinnigs, dat beschermd en warm en in het donker bewaard moest worden, iets levends.

Er werd mij verteld dat het schildpadeieren waren.

Bezorgd omdat ik ongewild een delicaat proces verstoord had, begroef ik ze weer zorgvuldig, en daarna drukte ik het zand rondom goed aan alsof ik denkbeeldige lakens instopte: zo begon door een toeval mijn verblufte bewondering en mijn respect voor ieder klein ovaal voorwerp in het algemeen en voor eieren in het bijzonder.

Op het platteland waren overal eieren. Je had die witte, zoete eieren van de duiven, die onophoudelijk zaten te koeren in de duiventil onder het dak van een gebouw dat op de tuin uitzag. Je had ook de microscopisch kleine, onweerstaanbare eieren van de krielkippen, die in het dialect *peppole* genoemd werden, en die ik in de voorzak van mijn schortje stopte.

's Nachts droomde ik er vaak van dat ik een nest vond, dat verstopt was tussen de onderste takken van de hazelaars of tussen de varens en het mos in het bos, en dan had ik het gevoel dat ik een schat ontdekt had. Je had eieren van alle mogelijke kleuren en afmetingen, sommige bleek en teer, andere geaderd, en die zagen er gevaarlijk uit, zoals die van de ringslang, of onwezenlijk en enorm als vergulde paaseieren, gewikkeld in zilverpapier. Maar ik was altijd blij en voldaan als ik ze vond.

Doordat ik veel buitenspeelde, vond ik talloze ovale vormen van allerlei soort: bonen in de eerste plaats, en verder natuurlijk de gele cocons van de zijderupsen.

Zaden, cocons en eieren waren voor mij eender, niet alleen wat de vorm aanging, maar ook vanwege de indruk die ze me gaven dat ze slapend leven bevatten; elk op hun eigen manier bracht ik ze in verband met de spinnerij, die ik heel spannend vond.

Na de oorlog opende de spinnerij nog voor korte tijd zijn deuren. Het complex bestond uit een hele reeks lage gebouwen van baksteen met rode dakpannen die dof waren geworden door het roet der jaren, net als de meeste gebouwen uit het eind van de negentiende eeuw.

De spinnerij stond voor mij gelijk met leven in de brouwerij, mensen: als enig kind, dat vaak alleen was, hield ik van het rumoer en het gegons van bedrijvige stemmen uit de fabriek. Af en toe kwam er een grote grijze vrachtauto, vol jutezakken, die je van verre kon horen aankomen door een metalen geraas van versnellingen en koppelingen – een spannend geluid – en dan werden de grote boordevolle zakken gelost op een betonnen plaatsje. Ze kwamen uit de ovens van de drogerij in Gorgo al Monticano, het verzamelpunt tijdens de *ammasso*, een vaktaalwoord dat de oogsttijd aanduidde. In die tijd brachten de boeren uit de omgeving de cocons met zijde, die geweven waren door de rupsen, door hen gekweekt op een rasterwerk overdekt met moerbeibladeren. De cocons, met daarin de slapende rups die niets in de gaten had, werden in hete ovens gedroogd en daarna naar de spinnerij gebracht.

Hier werden, door middel van een boeiend procédé, die geheimzinnige kilometers lange natuurlijke kluwens van één enkele draad afgewonden en opnieuw om ronde spoeltjes gewikkeld, en daarna gesponnen tot glanzende vlechtjes.

135

Ik herinner me nog de drukte, de zakken die zich op de vloer op-stapelden en tunnels en grotten vormden, waar ik in kroop om me te verbergen, net als Gulliver in het land der reuzen, het geroep van de arbeidsters – elk met een bak vol kokend water voor zich, waarin draaiende borstels blonken van simpele giersthalmen, zoals je die ook vindt in bezems – dat vanuit de zijkanten van de hal weerklonk als in een enorme bijenkorf. De borsteltjes draaiden pijlsnel rond en lieten de dichte wirwar van draden verslappen, en de prachtige glanzende koperen spoeltjes wikkelden de nieuwe zijde tot goudgele kluwens.

In de lucht hing een dichte, zware geur die je meteen herkende: de geur van zijde, de geur van *bigatto*.

Zo heette in het dialect wat er overbleef van de zielige zijderups, geroosterd, meegekookt en weerloos, zonder zijn nest – een mummie zonder wikkels, die uit zijn sarcofaag gehaald was –, voor altijd ver-zonken in de slaap, waaruit hij niet meer als vlinder zou ontwaken.

Het was een enigszins weeïge geur, net zo afstotend als de stukjes rups in de prenatale houding die hij had aangenomen voor zijn schuilplaats verdween. Maar voor mij was het een aangename geur, die van alles opriep. Ik hield ervan, zoals ik ook hield van de bezige mensen, de monteur Toni met zijn blauwe overall en de geur van ijzer van zijn werkplaats, en ik hield vooral van de middagpauze als de si-rene ging en de arbeidsters de fabriek uit kwamen rennen, lachend en zingend, in de richting van de kantine.

Ik denk dat ze ook wel wat van huis meenamen, maar de spinnerij bood altijd een warm en voedzaam voorgerecht, meestal een soep naar eigen recept, die gekookt werd in enorme cilindervormige pan-nen die steunden op vreemde vierkante gemetselde oventjes.

De pannen leken mij niet alleen enorm maar ze waren het echt, want ik weet nog dat we later dezelfde pannen gebruikten om de was in te koken, met as en kalk, zoals toen gebruikelijk was.

Een klassieke soep die erg op prijs gesteld werd, was een soort mi-nestrone met verse bonen, een specialiteit uit dat gedeelte van de Ve-neto. Een heerlijke groentegeur, peterselie, knoflook, wortels, uien en *borlotti*, heel dikke, roze bonen uit het dorp Lamon, die langzaam lagen te sudderen in water met olijfolie, zout en peper.

De kokkin, een welgevormde en opgewekte vrouw met een ge-kleurde hoofddoek, zat in een razend tempo bonen te doppen.

Ik keek naar de voorbereidingen, nieuwsgierig, gezeten op een klein rieten stoeltje. De hoop bonen werd steeds groter en leek te bestaan uit piepkleine bleekroze porseleinen eitjes, met bruine spikkeltjes, glad, ovaal en onweerstaanbaar.

Ik ging naar de rand van de tafel en pakte een boon die uit de stapel gerold was. Ik hield hem een poosje in mijn hand, tot hij net zo vochtig en warm werd als mijn handpalm. Daarna voelde ik hoe glad hij was door hem tegen mijn bovenlip te strijken, een onfeilbare methode om iedere oneffenheid te ontdekken.

Wat een goddelijk gevoel: dat strakke, gladde en nog verse oppervlak met een groene nieuwe geur! Maar op de een of andere manier gleed de boon weg en propte zich diep in mijn neusgat. Hoe meer ik probeerde hem eruit te halen, hoe verder hij vastraakte in mijn kleine neusje.

Wanhoop.

Omdat ik hem er niet uit kon krijgen, ging ik op zoek naar mijn moeder. Ik zie nog de grijze beschimmelde kleur van de muur voor me, waar ik vlak langs liep, met hevig kloppend hart.

Ik was drie.

Mijn moeder was in de keuken bezig haar befaamde appeltaart te maken.

Ik stond een poosje in stilte naar haar te kijken, met mijn ogen nauwelijks ter hoogte van het marmeren tafelblad; het deeg dat uitgespreid was door de deegrol, de geschilde schijfjes appel, die in een cirkel op een laag zelfgemaakte jam lagen, bedekt met suiker en gesmolten boter, bestrooid met kaneel en citroenrasp.

'Ik heb een boon.'

'Mooi, schatje.'

'Een boon... in mijn neus.'

'Jazeker.' Volwassenen luisterden nooit echt.

Ik snoof.

'Een boon binnen in mijn neus. Hij doet pijn.'

Dat wekte ineens haar aandacht. Ze keek me verbijsterd aan, alsof ze me voor het eerst in haar gezichtsveld kreeg: 'Dat kan niet. Laat me eens kijken, schatje. Kom eens hier.'

Ze duwde me naar het raam om mijn neus te inspecteren.

Terwijl ik naar haar keek veranderde haar gezicht plotseling van uitdrukking. Ze wendde zich tot Egle.

137

'Het is waar!' ze richtte zich ontsteld tot mij. 'Het is waar! Hoe is het mogelijk dat een boon daar in dat neusje terechtgekomen is...'

De tantes, oma en de dienstbodes werden erbij gehaald. Om beurten keken ze verbijsterd in mijn neusgat, en iedereen gaf een andere raad: tenslotte werd er besloten dat ik, vanwege het feit dat de boon zo dicht bij de neuswortel zat, het beste naar het ziekenhuis gebracht kon worden, zodat dokter Mantovani de zaak kon bekijken.

Ziekenhuis, een lucht van ontsmettende middelen. Glazen deuren met groene verf beschilderd, en zusters in witte schorten. Metalen bekkens en rubber handschoenen; lange gangen en zachte stemmen. Het was de eerste keer dat ik in een ziekenhuis was, en ik vond het vreselijk.

De brave dokter Mantovani peuterde in mijn neus met een lang stalen instrument, terwijl twee verpleegsters mij vasthielden. Ik schopte en ging tekeer. Ik voelde me verraden. De pijn was plotseling en erg hevig, maar ging onmiddellijk over. Door mijn tranen heen zag ik voor mijn ogen de boon, gevangen door het pincet.

En dokter Mantovani lachte maar.

Maanden lang, iedere keer als hij me zag, bleef hij mij vragen – met het gebrek aan logica dat vaak ook de beste volwassenen aan den dag leggen – of er misschien al een blaadje uit mijn neus was komen groeien, of nog niet. Ik antwoordde geërgerd dat dat niet kon, hij had de boon eruit gehaald en ik had hem nu, hij had me hem na de operatie zelf teruggegeven.

Ik bewaarde hem, in watten gehuld, in een metalen doosje dat ik in het laatje van het nachtkastje had gestopt. Regelmatig ging ik controleren of hij er nog was, uit angst dat de hele geschiedenis een droom was geweest en dat de boon er in werkelijkheid nooit uitgehaald was.

Ik stopte hem in een bloempot op een vensterbank, en al gauw kwam er een stevige groene scheut uit, tot mijn grote opluchting en verbazing.

Het struisvogelei zou een ander symbool worden in onze levens. Later hoorde ik van mijn moeder dat het 'dood en wederopstanding' betekende, want de dood van het ei betekent de geboorte van de vogel, zoals het opkomen van een plant betekent dat het zaad kapot is: het eind van de ene fase is steeds het begin van een andere.

Ik wist dat Paolo een bepaalde betekenis had toegekend aan het struisvogelei dat hij in het midden van ons hemelbed gehangen had, vervuld van een geheime boodschap waarvan ik na zijn dood besloot dat ik die niet meer kon lezen.

Zo bleef er dagen, maanden en jaren lang een crèmekleurig struisvogelei boven mijn bed hangen, om me eraan te herinneren dat er een fase afgelopen was, een leven van andere afmetingen, met een laatste boodschap van Paolo, uit wiens lichaam al een boom gegroeid was achter in mijn tuin.

Toen hij stierf verwachtte ik een kind: ik was ook een ei.

Net als het ei was ik ook een dop waar leven in zat, maar het leven dat in mij zat was niet dood. Er was geen nacht waarin ik naar bed ging zonder aan hem te denken, al die jaren lang, en ik wist dat niets wat ik zou kunnen doen hem bij mij terug zou brengen. Daarom hield ik van zijn blonde kindje, met haar ogen als de Afrikaanse zon en de Indische Oceaan.

Paolo zond mij nog steeds een boodschap, ook toen hij niet meer kon spreken.

Toen ik, in een aprilnacht drie jaar later, in een deken gewikkeld op bed lag, met het lichaam van mijn zoon naast mij, de nacht van zijn doodswake, begreep ik dat het ei ook als het lichaam van Emanuele was: een dop waar het leven uit geblazen was. Ik begreep dat het ei zelf de les van het ei was.

Het had geen zin meer om het te openen, en ik begroef het met hem.

VIII

OLIFANTEN IN DE TUIN

Ex Africa semper aliquid novi.*
PLINIUS DE OUDERE, *Naturalis Historia*

In mijn huis in Kuti, gebouwd op een hoogte midden in de savanne, vanwaar je in de verte de heuvels langs het Riftdal kunt zien, probeer ik te leven met eerbied voor mijn omgeving. In mijn dagelijkse leven wil ik de schoonheid die mij omringt eer aandoen, en ook alle gulle gaven die Afrika ons steeds opnieuw te bieden heeft: de boomstammen die geleid door de wind wegdrijven, of de merkwaardige *lelechwa*-wortels en de takken van de wilde olijf, waaruit je een kom, een lepel of een nijlpaardkop kunt snijden.

Maar er zijn ook de *mboga ya mussua* – de reuzenpaddestoel die tijdens de juliregens op de termietenheuvels groeit –, de trossen donkerrode bessen die in de plaats komen van de wolken carissabloemen en de lange, magere lap vlees, die we op een dag uit het karkas van een eland haalden, die net door een leeuw gedood was. Hiermee namen we trouwens revanche op de leeuwen, die iedere maand talloze stuks vee van ons verslonden.

Ik heb altijd graag gebruikgemaakt van de dingen die de natuur ons biedt, zoals hier sinds mensenheugenis gedaan is; ik ben nooit opgehouden me te verbazen over de schoonheid van de natuur en ben nog steeds dankbaar voor haar kostbare gaven.

Een week na het begin van de regens begonnen wij rond te kijken of we de paddestoelen konden vinden die op de termietenheuvels groeiden.

---

* Uit Afrika komt steeds iets nieuws.

Als we 's avonds met de auto thuiskwamen, was de lucht verzadigd van water, het licht was grijs met een opalen glans en het dal van Lera was erg groen en droop van het water; soms waren er enorme gelekoortsbomen op de wegen neergevallen – hun schors afgebladderd en zwart van de lange littekens, hun bladeren van een fijn filigraan al lang verdwenen –, en moesten we eromheen rijden over de zompige bosgrond.

De dikdikantilopen stonden roerloos onder de bladeren van de heesters als beelden van faunen, de waterantilopen keken ons onbevreesd aan, en de wortels van de wilde vijgen klampten zich vast aan de grijze granietblokken in een zwijgende omhelzing, een verstrengeling van de plantenranken en stukken rots.

Zwermen termieten die hun bruidsvlucht uitvoerden dansten voor onze landrover, met hun bleke goudkleurige vleugels in de weerschijn van de ondergaande zon, als een soort luchtgeesten.

Die bedrijvige wezentjes hadden namelijk in hun geheime onderaardse akkers hun verborgen tuinen aangelegd; in het donker en in de vochtige bodem groeiden paddestoelen uit sporen, en sommige wisten door te dringen tot het bleke licht van de luchtverversingstunnels.

Reusachtige paddestoelen spleten het grondoppervlak als krachtige vuisten afkomstig uit het centrum van de aarde en terwijl ik langs de *murram*-paden van Ol ari Nyiro reed zag ik in de verte een witte stip op een hoop aarde en door mijn verrekijker zag ik dan een of twee – maar soms ook acht of tien – paddestoelen in verschillende fases van hun ontwikkeling.

In het begin leken ze op trommelstokken. Maar langzaam veranderden ze in brede vlezige parasols, zo groot als een bord, en boorden ze zich door de aarde om al gauw, buiten bereik van hun jaloerse bewakers, aangevallen te worden door allerlei soorten levende wezens.

Van de dikdiks tot aan de olifanten en de elegante Turkana-meisjes die de lange stelen op hun ranke blote schoudertjes balanceerden, naast hun vele halsringen met blauwe en rode kraaltjes, was iedereen gek op die monsterlijke lekkernijen.

De termieten, die ze gekweekt hadden, vochten tevergeefs om ze bij zich te houden – als ik ze plukte rukte ik lachend de donkere machteloze koppen weg, die zich in mijn vingers hadden vastgebeten – maar ik zorgde ervoor dat ik altijd een paar paddestoelen voor hen overliet, waarbij ik de gulzige verleiding weerstond om ze allemaal te plukken. Zo voelde ik mij deel uitmaken van een evenwichtige wereld, waarin de olifanten en de stekelvarkens mijn groente roofden, maar ik, als mijn beurt gekomen was, ook mijn mannetje wist te staan als dief.

Iedereen wist dat ik dol was op die paddestoelen; en zodra de eerste regens kwamen vormde er zich een lange stoet mensen voor mijn keuken die hun paddestoelen wilden ruilen voor wat suiker, thee, zeep of tabak.

Simon stond daar te stralen met zijn witte gesteven koksmuts aan een kant geplet, als een schuinsmarcheerder, en leek zelf ook wel zo'n paddestoel. Hij bedankte iedereen hartelijk, en ging meteen aan de slag om ze op allerlei manieren klaar te maken.

Je had natuurlijk ook andere soorten paddestoelen: de bruine, die in de oude *boma's* groeiden, en die gedroogd konden worden, zoals het eekhoorntjesbrood en die hallucinogene zwammen die alleen maar op buffelpoep groeiden: minuscule elfjes die ons dromen kwamen brengen. Maar die liet ik staan, want elk van hen had wel een soortgenoot die er bijna net zo uitzag, maar zeer giftig was, en het was altijd moeilijk om ze te herkennen. Ik plukte alleen de paddestoelen die ik goed kende en die, door hun speciale vorm, niet met andere verward konden worden.

In een wereld van alleen carnivoren zou ik me niet erg goed raad weten, want ik ben geen enthousiaste vleeseetster.

Toch heb ik altijd gevonden dat er een enorm verschil is tussen een tam dier dat weggevoerd wordt om gekeeld te worden in de gruwelijke omgeving van een slachthuis – waar het de bloedlucht ruikt van zijn voorgangers en de doodsangst opsnuift van zijn ongelukkige makkers – en een dier waarop geschoten wordt of dat een snelle dood sterft door een roofdier, terwijl het zich vrij en zonder achterdocht in zijn natuurlijke omgeving bevindt, als de adrenaline van de doodsangst de smaak en de samenstelling van zijn vlees nog niet bedorven heeft.

Weinig vlees is lekkerder dan dat van de eland, de grootste van de Afrikaanse antilopen. Op deze indrukwekkende en plechtstatige dieren, met zware halskwabben, lange voortdurend zwaaiende staarten, zwartgevlekte poten en rechte hoorns waar aan alle kanten diepe groeven in zitten, als in reusachtige ijsco's, wordt vanwege hun uitstekende vlees in gelijke mate jacht gemaakt door mensen en roofdieren.

Het is erg moeilijk om ze te benaderen; zodra ze in de gaten krijgen dat je in hun buurt komt, lopend of in de auto, zijn ze meteen op hun hoede en vluchten alle kanten op. En dan zie je ze ook echt niet meer: ze verdwijnen met hoge spectaculaire sprongen, zoals de dieren die je ziet op oude rotsschilderingen.

Ik hield van de elanden en respecteerde hun eenzame nobelheid. Maar vroeger kwam Paolo af en toe met een eland terug van de jacht, en vanwege die grote karkassen die voor mijn huisdeur lagen leerde ik, al was het dan met tegenzin, noodgedwongen – en ik gaf mijn kennis door aan Simon – hoe je er de juiste stukken uit moet snijden, zodat er niets verloren gaat en men hun verrukkelijke vlees en zijn talloze gastronomische mogelijkheden recht kon doen.

Jaren later, toen er niemand meer was die op jacht ging om ons voedsel te verschaffen, zou Aidan mij af en toe een enorme achterpoot van een eland cadeau geven, vaak een van de hardnekkigste plunderaars die gewend waren om nachtelijke strooptochten in zijn dierbare aloëtuin te houden.

Maar meestal was het in Laikipia een leeuw die ons van een eland voorzag.

Merkwaardig dat juist de eland, zo'n voorzichtig dier, gevolgd door de buffel, en op flinke afstand de zebra, door onze gulzige leeuwen – waarschijnlijk dezelfde die het liefst onze pasgeboren lammetjes opaten – werd uitgekozen om aan te vallen.

In Laikipia zag ik op de wegen waar we met de auto langsreden vaak merkwaardige vogels enorm hard rennen, met een stijve kop en hun borst vooruit. Af en toe fladderden ze onverwachts op in korte, wankele vlucht.

Dat waren frankolijnen.

Frankolijnen zijn kleine vogels, zo groot als een jong haantje, met korte poten. De grootste soort staat bekend als geelhalsfrankolijn, vanwege de schitterende kleur van zijn brede verenkraag. Ze waagden zich vaak in mijn tuin en woelden met hun poten de grond om, om insecten te vinden in het korte, verschroeide maartgras dat vlak bij de omheining groeide, op een plek die te ver weg was om te kunnen besproeien. Mijn honden keken ernaar met strakke ogen en gespitste oren, gespannen maar zonder in te grijpen, en ze hielden iedere beweging in de gaten van die halzen die zich driftig vooroverbogen om hun maaltje bijeen te pikken.

Het was of er een – voor mij onzichtbare – barrière bestond, een grens waarna mijn terrein, of liever dat van mijn honden, fel verdedigd zou worden. Als de vogels daar zonder het te beseffen overheen kwamen, stonden de honden allemaal tegelijk op en stormden op hen af, woedend blaffend met een soort oorlogsgehuil.

Met een beledigd gekakel namen de frankolijnen dan de poten, terwijl er een paar veren in de onbeweeglijke middagzon bleven zweven en als een zuchtje op de grond vielen.

Hun neefjes waren de parelhoenders.

Er is een korte pauze in Afrika, een paar minuten stilte, wanneer de natuur zich even lijkt te bezinnen en zich voorbereidt op een verandering, waarbij de ene fase voorbij is en de andere begint en de geluiden van de dag door die van de nacht gevolgd worden.

De laatste roep van de dag is het gekrijs van de parelhoenders, als de hele troep plaatsneemt op een boomtak, buiten het bereik van de jakhalzen.

Parelhoenders zijn prachtige vogels, met hun witgespikkelde lijf, hun grijze buik en hun kleine Egyptische kop met een soort helmpje erbovenop, een beetje blauwgetint zoals de Turkana-kapsels.

Op sommige avonden, na het begin van de regens zag je massa's hazen op de weg. Ze sprongen op voor de auto, verblind door de koplampen, zigzagden dan pijlsnel met dolle sprongen, en dan minderde ik vaart en deed de lichten uit om ervoor te zorgen dat ze in het donker de goede richting weer konden vinden.

Waar ze overdag schuilgingen was een mysterie, wat trouwens ook gold voor de meeste dieren: in de hitte van het middaguur was de savanne, bedekt met *lelechwa*, onbeweeglijk en zilvergrijs, de paden van rode korrelige *murram* waren verlaten en alleen uitwerpselen van allerlei soort en vorm, sporen van allerlei dieren die in de harde grond stonden afgedrukt, verrieden de aanwezigheid van leven.

Maar 's avonds verschenen plotseling de jakhalzen met zilverkleurige rug, ze staken de open plekken over in een schuin drafje; de elegante vossen-met-vleermuisoren, met hun grote pluimstaart met zwarte punt, sprongen achter de vliegende termieten aan; en soms zagen we de bizarre kale miereneter, een meester in het graven van kuilen, of een caracal, raadselachtig als een Egyptisch bas-reliëf, of een gestreepte genetkat of een wilde kat met gele ogen.

De gewoonste dieren waren trouwens de dikdiks, tere heel kleine gazellen, altijd met zijn tweeën, met enorme fosforescerende ogen die hen meteen verrieden als ze vanonder het nachtelijk struikgewas uit loerden, en de kleine snelle langoorhaasjes.

De boomkikkers kwaakten met vochtige stem een waterliedje, en de adelaarsuilen met hun dikke oogleden klapperden met hun zware vleugels, en vlogen langzaam van tak tot tak, om hun prooi beter te kunnen zien.

Emanuele ging er met zijn geweer en een fakkel op uit om op hazen te jagen onder de *menanda* en kwam uren later thuis om mij zijn buit te schenken, die enkele dagen later zou veranderen in wildbraad in kruidige marinade van rode wijn.

Op Ol ari Nyiro fokten we ook koeien van het boranaras, die van de zeboes afstamden en op hun rug een bult droegen met een vetvoorraad die geleidelijk hun organisme voedde, zodat ze in leven konden blijven gedurende de lange maanden van droogte. Ze gaven erg veel melk: een koele rijke melk, enigszins geurig, met een zomergeur van wilde bloemen en kruiden, erg lekker.

Die melk werd iedere ochtend naar Kuti gebracht door een knecht te paard en vaak veranderde de dikke room in boter als de ruiter in galop moest rijden om een overstekende kudde olifanten te vermijden.

Ik houd erg veel van mozzarella. Vroeger werd die gemaakt van de melk van waterbuffels die in het wild rondliepen op de drassige grond van de Toscaanse Maremma en ten zuiden van Rome, in de Pontijnse moerassen. Dat was voordat die woeste gebieden ontgonnen werden en de malariamug werd uitgeroeid door primitieve, dodelijke insecticides, die op den duur beslist veel schadelijker voor mens en milieu zouden zijn dan de malaria zelf.

Carletto Ancilotto – een oude vriend die in Italië mijn buurman was geweest en hier door een merkwaardig toeval de eigenaar was van een uitgestrekte ranch die Colcheccio heette, op maar enkele kilometers van Ol ari Nyiro – had met succes een kudde van deze buffels uitgezet op zijn landgoed Valle Averto, waar ze vrij rondbanjerden. Vaak, als we met de auto op weg gingen om bij hem te eten, stuitten we tot onze verbazing op enorme zwarte gestalten die een paar meter voor ons het pad overstaken.

De rijke melk van de boranakoeien deed me erg aan de melk van deze buffels denken, en meermalen probeerde ik zonder succes om weer die verse kaas te maken, die zo uniek en speciaal is als je hem bereidt met basilicum, olijfolie en rijpe tomaten.

Het wilde me nooit lukken. Het stremsel dat ik in de warme melk deed liet hem elke keer weer samenklonteren tot een rubberachtige, korrelige massa, tot op een keer... Het was nacht in Kuti en Paolo, die altijd voor zonsopgang opstond, was in diepe slaap verzonken. Ik sloop de keuken in, waar de melk van de vorige dag, bewaard in de buitenbijkeuken, net bezig was zuur te worden. De goden van het goede eten moeten dat magische moment vastgesteld hebben dat, zoals voor alle dingen des levens, het kleine verschil uitmaakt tussen mislukken en slagen, en ik wist dat dit de juiste nacht zou zijn.

Op het hete fornuis veranderde de melk in een massa zachte draden, die ik langzaam om een houten lepel wond, die gemaakt was van een stuk oud *mutamayo*-hout, tot ik een soort kluwen gevormd had.

Met mijn handen kneedde ik die tot een ovale vorm en dompelde die snel in koud zout water; het had het uiterlijk, de samenstelling en zoals ik al gauw merkte, de smaak van de beste buffel-ovolina.

Door mijn triomfgehuil werd Paolo verbijsterd wakker, met een geperste mozzarella onder zijn neus; en van dat moment af aan zou deze bepaald niet orthodoxe, maar toch heel acceptabele mozzarella deel gaan uitmaken van onze keuken en van een keur van gerechten, tot ons grote genoegen.

Carletto kwam me vaak opzoeken en gaf me raad over alles wat de moestuin en de keuken betrof.

'Als je wilt dat je fruitbomen vruchten krijgen en dat die lekker smaken, moet je stukjes ijzer onder in de stam steken. Ook spijkers zijn daar heel geschikt voor,' zei Carletto toen hij mijn vier avocado-bomen met een kritisch oog bekeek. 'Steek ze in de bast, je zult zien dat ze daarvan opknappen.' Ik was daar niet erg zeker van, en eigenlijk had ik het gevoel dat het ook niet nodig was.

De avocado's groeiden snel uit halve zaden, waaruit een krachtige loot tevoorschijn kwam. In een mum van tijd werden ze een paar de-cimeter hoog, en na drie of vier jaar – als ik er echt aan dacht om onder aan de stam spijkers en ijzerwerk te stoppen – zouden de eerste vruchten geoogst kunnen worden. Ze waren peervormig, met een harde donkergroene schil, en ze hadden een romig vruchtvlees, dat heerlijk smaakte naar amandels en room. Je kon ze zowel in zoete als in hartige gerechten gebruiken, van salades tot desserts.

Mijn honden waren dol op avocado's, en de katten ook. Die katten leidden op Ol ari Nyiro een klimmend leven op de hoogste takken van de bomen of boven op de daken, buiten bereik van de Duitse her-ders; ze waren geduldig en liefdevol tegen mij, maar in hun jaloezie verdroegen ze geen enkel ander dier.

Toen er in de loop van de jaren steeds meer honden kwamen, wer-den onze katten wild en waren ze met geen mogelijkheid meer te tem-men.

Algauw konden we ze niet eens meer namen geven, want ze doken blazend als luipaarden weg als de honden hen verrasten terwijl ze lek-ker in de zon lagen boven op de pizzaoven op het plaatsje bij de keu-ken.

We wisten dat ze paarden met de wilde katten met grijze vacht, die in het struikgewas leefden: mooie dieren, met gele ogen en korte don-kere staarten.

Ze paarden en jongden onder het dak, en vulden de nacht met on-ophoudelijk gemiauw, ze klommen op zolders en takken, of lieten zich soms op een ijskast zakken. En vaak lieten alleen de afdrukken van hun nagels en hun scherpe tanden in het groene vruchtvlees van een avocado zien dat er een kat over de keukentafel gewandeld had, terwijl de honden sliepen.

In het nabijgelegen Colcheccio had Carletto een moestuin aangelegd, die net een klein fort leek. Colcheccio was heel wat dorder dan Ol ari Nyiro. Allerlei dieren, vooral olifanten en giraffes, werden onweerstaanbaar aangetrokken door die open ruimte vol groente die daar midden in de kilometers grote, kale savanne prijkte, met eromheen een formidabele dubbele muur van gestapelde stenen, zoals men die tweeduizend jaar geleden al in Apulië bouwde om de olijfgaarden te beschermen. Op het zanderige terrein gedijde alles goed, mits er voldoende water en mest was, vooral de mediterrane groenten die de vreugde en de sterke kant van de Italiaanse zomerkeuken zijn: paprika's, aubergines en tomaten.

Om zijn tomaten werd hij door iedereen benijd.

Hij had ze vooral in twee variëteiten: de Emiliaanse nerftomaat en ossenhart.

Ze bereikten werkelijk indrukwekkende afmetingen en terwijl de eerste, breed, met de vorm van een glanzende rode pompoen met brede nerven, bijna even groot werden als die pompoenen, leken de tweede net op het lillend ossenhart waaraan ze hun naam te danken hadden.

Ze zagen er monsterlijk uit, maar smaakten voortreffelijk.

Carletto was een relikwie uit vroeger tijden, een immens gulle gentleman, wiens gastvrijheid legendarisch was; hij had de moed te leven zoals hij dat zelf wilde, en eten en drinken waren voor hem erg belangrijk.

Als het om eten ging, smolt Carletto's hart meteen, en ik hoefde niet lang te soebatten of ik een paar hele tomaten mee naar huis mocht nemen om ze te drogen, de verborgen zaden eruit te halen, en die op mijn beurt uit te zaaien.

Alleen hebben tomaten erg veel aandacht nodig.

Van de ene dag op de andere kunnen er in het warme Afrikaanse klimaat, opzij van de hoofdstengel, massa's wilde scheuten opkomen, die meteen weggehaald moeten worden; de erg schadelijke witte vlieg houdt ervan en ook moet je ze nooit van bovenaf begieten, anders verrotten de bladeren.

De grond op Kuti was heel anders dan die van Colcheccio, en de nachten waren er koeler.

Ik hield die tomaten in de gaten alsof het kinderen waren, en pootte er overal koriander en afrikaantjes omheen, om de bladluizen en de witte vliegen af te leiden, en ik strooide as rondom de planten om te verhinderen dat de insecten de stengels konden bereiken.

Omdat het hybriden waren, verpieterden sommige planten tot piepkleine kromme versies van hun ouders, en produceerden dan vruchten zo groot als kersen, maar andere wisten, dankzij de onophoudelijke enthousiaste bestuivingsactiviteit van tienduizenden insecten, op wonderbaarlijke wijze aan dit lot te ontkomen, en mijn tomaten werden een roemrucht onnavolgbaar mengsel van de beide variëteiten. Een tomaat van een pond was normaal, en Simon wist er met grote elegantie gerechten op basis van hemels smakende reuzentomaten, sauzen en conserven van te maken.

In tegenstelling tot de tuin van Carletto was mijn moestuin nog alleen maar beschermd door een metalen hek, dat verre van stevig was. Behalve een uitgebreide keuze aan natuurlijke weilanden, hadden de olifanten op Ol ari Nyiro dus de guaves, de bananen en de pompoenen ontdekt.

Er was een olifant bij, een groot mannetje, dat nu misschien zo'n jaar of vijftig is, met lange gebogen slagtanden en een gulzige blik in zijn kleine oogjes, die ik goed heb leren kennen, en aan wie ik uiteindelijk ook een naam heb gegeven, namelijk Njoroge. Toen wij op Ol ari Nyiro kwamen wonen was het een jonge drieste olifant van twintig, en hij verstopte zich graag in het acaciabos bij mijn huis, dat al veel langer zijn territorium was dan het mijne.

Ik accepteerde zijn eerdere rechten, maar hoewel ik respect en genegenheid voor Njoroge voelde, probeerde ik natuurlijk ook uit alle macht om hem te slim af te zijn.

Ik kwam hem tegen de avondschemering al tegen in de *menanda* van Kuti, soms met zijn familie of een groepje kameraden, terwijl hij zich tegoed deed aan wilde spinazie of pelargonium, een soort kruid dat uitbundig groeide na de regens in het rijk bemeste terrein. Hij maaide het gras af ter hoogte van de wortels, met een snelle gebalanceerde beweging van zijn voet, pakte het handig op met één enkel gebaar van zijn slurf, en bracht het naar zijn bek, om de hele operatie daarna meteen opnieuw uit te voeren.

Ik kreeg er nooit genoeg van olifanten te observeren terwijl ze aan het eten waren en hun vreedzame, rustige leven leidden. En toch veranderden deze rustige dieren 's nachts, vooral in het droge seizoen voor de regens, in uiterst slimme rovers. In volmaakte stilte, soms alleen verraden door een zacht gerommel van hun enorme maag, forceerden ze de omheining, en gingen op de palmen, de drakenbloedboom en de acacia's uit mijn tuin af, of op de bananen, de guaves en de courgettes van de moestuin.

Het was een strijd die ik niet kon winnen.

Mettertijd leerde ik dat het enige middel om de olifanten te ontmoedigen erin bestond dat ik de courgettes bemestte met een overvloedige dosis van hun eigen uitwerpselen, en daar een mengsel overheen spoot van mest en de scherpste peper die ik kon vinden, opgelost in water.

Maar als het om de bananen ging was er echt niets aan te doen. Dat die bananen, met hun lange, sappige bladeren, in mijn moestuin het konden redden was op zich al een wonder, met al die olifanten die 's nachts om Kuti heen zwierven. Als de elektriciteit op ons hek om de een of andere reden uitviel – een kortsluiting veroorzaakt door een dikdik of een gevallen tak – deden de olifanten een inval in de moestuin, en gingen meteen op twee planten in het bijzonder af: de courgettes en de bananen, waarvan ze vol overgave het ene blad na het andere afplukten. Tot mijn grote ergernis lieten ze voor mij alleen maar dampende uitwerpselen en uitgekauwde vezels achter.

Ik moest alles weer opnieuw beginnen, met als enige troost dat met water en goede zorgen hier in Afrika alles weer snel aangroeit.

IX

MICHAEL

Bedenk niet wat je land voor
jou kan doen, maar wat jij voor je land
kunt doen.
J.F. KENNEDY

Eerst was het stil, in de ochtend.

Daarna, terwijl de opkomende zon het oosten koraalrood kleurde, barstten de vogels los in een koor dat de tuin overweldigde.

Ik werd wakker met dat pulserende lied van het leven, hetzelfde als iedere ochtend, zonder enige bewuste gedachte, maar met een gevoel van onbehagen omdat ik wist dat het vandaag een andere dag was, en dat de uren die mij te wachten stonden en de dag van morgen en alle komende dagen tot aan het eind van mijn leven allemaal diezelfde leegte zouden hebben, het wanhopige verlangen dat alles slechts een nachtmerrie was en dat Emanuele nog leefde en gelukkig was en bij mij.

Voortaan zou ik, ook als ik er niet aan dacht, die leegte in mij meedragen: het gevoel van een levenskiem, een tak van mijn wezen en van mijn leven, die plotseling afgebroken was, het definitieve einde van iedere hoop op vrolijkheid, vriendschap en trots.

Het gevoel van een gezicht, een glimlach, een stem die al vervaagden, en terugkeerden naar het zachte, nevelige land van de herinneringen, zonder dat ik ook maar iets kon doen om ze tegen te houden.

Aan het eind van mijn tuin, op de plek waar de bloemen van zijn begrafenis nog lagen te verwelken en het vuur van gisteravond nog warm was, stond op het graf van Emanuele het halflege glas wijn van een laatste toost.

Op het verse graf van Emanuele trilde een kleine gele-koortsboom in de bries van de vroege ochtend.

Het was de dag nadat wij al zijn slangen losgelaten hadden; twee dagen na zijn begrafenis.

Hij was dood. We hadden hem begraven. We hadden zijn slangen losgelaten. Wat stond ons nu nog te doen?

De eerste dag van een leven zonder hem moest een symbool worden van de hoop en de positieve instelling die ik mee wilde geven aan de komende dagen.

Ik wist waar ik de sleutel kon vinden.

Ik kleedde me aan en ging naar zijn kamer.

Dat was een kleine Spartaanse kamer, zonder luxe.

Hij was geschikt voor een jongen, maar niet langer voor de jongeman die hij geworden was: een stapelbed, een bureautje, een plank van rood cederhout vol met boeken, een stoel, een kast met daarboven een paneel waarop een heleboel slangenhuiden waren vastgespijkerd... niets bijzonders, geen speciale stijl. Ik had hem anders moeten inrichten, opnieuw schilderen, mooier maken; misschien een nieuwe, grotere kamer voor hem moeten bouwen.

Nu kon dat niet meer.

Hij had me nooit ergens om gevraagd.

De slangenhuiden hingen op een rij; die van de grote pofadder lag languit op een dunne triplex tafel.

Zijn slangentangen waren netjes geordend en hingen naast de kast.

Midden op zijn bureau zijn blauwe dagboek.

In dat schrift had hij iedere dag genoteerd wat er gebeurde in zijn en ons leven: de mensen die kwamen en gingen, de dieren die hij zag, de incidenten van elke dag in een Afrikaanse oase waar de talrijke wilde dieren vanzelfsprekend waren en waar slangen in de greppels zaten, in een holte van een omgevallen boom, of in de gang tussen de keuken en de eetkamer, en waar het normaal was dat de honden tegen de leeuwen blaften en de buffels op ons gazon kwamen grazen.

Hier had ik zelf pas gisteren geschreven: 'Vandaag hebben we alle slangen van Emanuele losgelaten.'

En vandaag, 15 april 1983, was de eerste dag van een leven zonder hem, waaraan ik zin moest geven.

Sveva was nog klein en kwetsbaar, en moest beschermd worden en geholpen bij het opgroeien. Geholpen om te leren dat het leven geheimen bewaart, smart en grote vreugden, en dat je alles moet aanvaarden zoals het komt, ook dit, dat het noodzakelijk is het 'hier en nu' in de ogen te zien, te slikken, vooruit te kijken en te proberen ons best te doen. Te proberen betekenis te geven aan het feit dat wij leven en dat we weer een les hebben geleerd.

Dit was niet het eind van alles.

Het was het begin van een nieuwe fase.

Het leven had nog maar net opnieuw een bladzijde omgeslagen. Zelfbeklag had geen zin.

Onze vrienden lopen met ons mee vanaf het moment dat we geboren worden, en vergezellen ons een deel van onze weg; sommigen gaan een hele tijd met ons mee, anderen gaan eerder weg... we verlaten oude vrienden en ontmoeten onderweg nieuwe mensen. Sommigen zijn belangrijker dan anderen. Sommigen kwetsen ons en anderen maken dat we ons in de zevende hemel voelen. Sommigen weten ons innerlijk te raken.

We mogen ons niet hechten aan de mensen, maar moeten het leven beminnen zolang het duurt en onze bijdrage leveren aan de wereld die we aangetroffen hebben, zodat die iets beter geworden is als het onze beurt is om heen te gaan.

Diep binnenin, hoe pijnlijk het ook was om dat te weten, was ik me bewust van dit alles en ik wist dat het niet alleen woorden waren. Ik wist dat ik macht had over de keuzes die ik maakte en over de beslissingen die ik nam. En dat mijn hoop in deze waarheid gelegen was. Ik wist dat er visie aanwezig is in de smart.

Wat mij ook te wachten stond, ik moest het zo aanpakken dat het gekleurd werd door het besluit om zin te geven aan mijn verlies, om het te maken tot een gift aan Afrika en aan ons allen.

Zodat het verspillen van leven het begin zou worden van vele zegeningen, waarvan er geen bestaan zou hebben als dit leven zich niet had ontwikkeld en niet was geëindigd zoals het geëindigd was. Ik wist dat ik daartoe in staat was en dat het alleen van mij afhing.

Ik had iedere dag in zijn dagboek geschreven. Zijn handen hadden dit blauwe omslag beroerd. Hijzelf had een laatste paragraaf geschreven, en had toen het schrift weer gesloten en het ordelijk voor de laatste keer op deze tafel achtergelaten.

Zijn schim zweefde hier, zijn aanwezigheid vulde liefdevol en krachtig deze kleine kamer, en een brok van verdriet snoerde mijn keel toe.

Ik keek op. Zijn boeken in ordelijke rijen; dozen, huiden, een stuk hout waar een kinderhand 'Pep' in gegrift had, de naam die hij mij gaf.

De Afrikaanse zon scheen geel en levend gefilterd licht door de gesloten gordijnen.

Waar was hij? Keek hij naar mij? Wist hij van mijn verdriet? Was hij bedroefd om mijn smart?

Waarom kon hij mijn hoofd niet aanraken, zachtjes, alleen maar om me te laten weten dat hij er nog was, één keer maar, alleen maar voor de laatste keer?

Onvermijdelijke tranen prikten achter mijn oogleden en rolden langs mijn wangen waar ze twee vochtige warme sporen achterlieten.

Ik opende het schrift en staarde naar de lege bladzij. Ik bladerde terug tot aan de eerste bladzij, 1 januari 1983.

Ik vond daar een in vieren gevouwen velletje papier. Ik maakte het open.

Het was geadresseerd aan Michael Mayeku Werikhe.

'Beste Michael,' begon de brief. Een regelmatig, intelligent handschrift. 'Ik zou je graag mijn slangen willen laten zien en je eerste neushoorn... laat me weten wanneer je in Laikipia kunt komen...'

Michael was een grijs-zwarte figuur geweest op een slecht afgedrukte foto op de eerste pagina van de *East African Standard*. Een jongeman met een bril, een rugzak, een geopende paraplu.

'Mr. Michael Werikhe,' zei het onderschrift, 'die zojuist een voettocht gemaakt heeft van Mombasa tot Nairobi, om de aandacht te vestigen op het lot van de zwarte neushoorn.' Of zoiets. De gemeenschappelijke vriend bij wie hij in Nairobi logeerde wist van de hartstocht van Emanuele, en Michael had dezelfde avond nog met Emanuele gebeld. Hij had hem bekend dat slangen zijn echte passie waren: '... maar de mensen zouden het niet begrepen hebben als ik die wandeling had gemaakt om de slangen te helpen,' had hij Emanuele uitgelegd, 'dus, omdat ze geïnteresseerd zijn in neushoorns, maak ik van de gelegenheid gebruik om tegelijkertijd ook over de slangen te spreken, en dan leg ik ze uit dat hun leven zo zijn reden heeft. Een natuurlijke reden. Zoals al het overige. De bomen. De neushoorns. Wij.'

Geen gewoon iemand.

Zo was Michael in onze levens gekomen. Maar ik had hem nog niet ontmoet; en Emanuele had er niet de tijd voor gehad.

De onvoltooide brief – Emanueles laatste brief? – was voor hem geschreven en ik moest zorgen dat hij hem kreeg. Ik vouwde hem zorgvuldig dicht, en voegde er een briefje bij waarin ik uitlegde wat er gebeurd was en hem uitnodigde toch bij ons te komen logeren, omdat dat de wens van Emanuele was geweest.

Zo begon onze rechtstreekse correspondentie. Ongeveer een jaar later ontmoette ik hem persoonlijk, in de wachtkamer van Richard Leakey in het Museum.

Een jongeman met een serieus en studieus uiterlijk, met dikke brillenglazen in een zwaar montuur. Toen ik over de neushoorns begon te spreken lichtte zijn gezicht op en ik werd getroffen door zijn hartstocht en zijn energie.

In Laikipia koos hij ervoor om met de patrouille van Faro One mee te gaan en aan hun leven in de struiken mee te doen. Af en toe kwam hij bij mij thuis in Kuti, opgetogen en volkomen in de ban van zijn nieuwe ervaringen. Hij had een enorme python gevonden. Hij had kuddes olifanten ontmoet. Hij had leeuwen gehoord en het geluid van de luipaard in de nacht herkend.

Op de derde dag dat hij bij ons was zag hij de eerste neushoorn van zijn leven. Een krachtig mannetje met een heel lange, dikke, kromme hoorn. We noemden hem Michael, ter ere van onze vriend.

Af en toe kwam hij terug naar mijn huis voor een douche, om zich te verkleden, voor een warme maaltijd. Voor hem was dat het paradijs.

Op een dag bood hij aan om voor mij een gerecht te koken, op basis van *matoke* en pinda's, dat ik heerlijk vond. Het was een soort vegetarische stoofschotel met pinda's, die gebakken en gemengd werden met verse uien, tomaat en knoflook, geurig gekruid met kardemom en opgediend met een gekruide puree van gestoomde *matoke*, een herinnering aan zijn kindertijd in Oeganda.

Toen hij weg was vond ik een brief:

De rust van de omgeving heeft mij in extase gebracht... ik heb besloten om mijn leven te wijden aan de bedreigde dieren van mijn land... als Emanuele hier niet in levenden lijve aanwezig was, dan was hij het wel in de geest... in de loop van zijn leven moet iedereen een held hebben... nou, hij is mijn held.

Kort daarna kwam hij mij in Nairobi opzoeken. Hij had een trofee ter nagedachtenis van Emanuele laten maken die geschonken moest worden aan de Keniase student die het beste opstel over slangen zou schrijven.

Michael had marsen gehouden voor een dier dat hij nog nooit gezien had. Hij had een prijs gegeven ter nagedachtenis aan een jongen die hij nooit ontmoet had.

Er gingen een paar jaren voorbij en op een dag belde hij mij, en zei dat hij besloten had weer een mars te houden, ditmaal door Oost-Afrika. Ik gaf hem een kleine draagbare tent die hij in zijn rugzak kon stoppen. Onder het lopen droeg hij twee kleine pythons om zijn hals om de mensen aan hun verstand te brengen dat ieder wezen een reden van bestaan had.

Tijdens die reis belde hij me vaak van heel ver. Hij was blij dat hij mijn tent kon gebruiken, vooral om de slangen er vrij in te laten rondkruipen, zodat ze wat beweging hadden zonder te ontsnappen.

Tegen de mensen die zich voor een deel van het traject bij hem aansloten sprak hij over reptielen. Hij had iets bijzonders, een combinatie van Sint Franciscus – de heilige die te voet ging, die tegen de vogels in de lucht sprak en tegen de dieren op aarde – en van een onderwijzende monnik. Hij had een aanstekelijke uitstraling en energie. Een grote eenvoud. Integere bedoelingen.

Een paar jaar later besloot hij om voor de neushoorns door Europa te lopen. Hij vertrok uit Assisi, zoals ik hem had gesuggereerd. De Italianen herkenden de excentrieke en exotische romantiek van zijn kruistocht: een jonge Afrikaan die een voettocht maakte om de neushoorns te helpen... Ze namen hem in hun groep op, liepen zingend met hem mee, boden hem worst en pasta aan, en ook een fles chianti. Mooie meisjes pakten hem bij de hand en de jongens spoorden hem aan: hij genoot van iedere minuut en slaagde er zelfs haast in om dikker te worden.

Toen ik hoorde dat een Nederlandse piloot hem aanbood mee te vliegen van het continent naar Engeland, onderbrak ik mijn vakantie te Colorado, waar ik een paar weken met Sveva doorbracht, en om hem te ontmoeten vloog ik vandaar naar Ipswich, waar hij zou landen.

Zijn ogen lichtten op toen hij zag hoe Sveva – die hij 'zonnestraaltje' noemde – hem tegemoet kwam rennen, met een bos gele bloemen.

In de loop der jaren droeg Michael meer dan wie dan ook bij aan het imago van Kenia. Via hem werden de pogingen van het land om zijn wilde dieren te beschermen geloofwaardiger.

Hij bracht de natuurbescherming bij de gewone man.

De mensen voelden zich met hem verwant, waren trots op hem, want hij was een van hen. Als Michael iets belangrijk vond, dan was het de moeite waard. In een periode waarin veel Afrikanen voor geld hun neushoorns afmaakten, was daar opeens iemand die in zijn eentje, bij niets beginnend, zonder vrienden, zonder enige organisatie die hem kon helpen, lange afstanden liep – dat was alles wat hij had, zijn benen en zijn droom – om de zwarte neushoorns die dreigden uit te sterven te redden.

Zijn passie voor het milieu en zijn vastberadenheid om dat te beschermen waren de gemeenschappelijke punten van onze vriendschap.

Michael werd een belangrijk persoon in ons leven; in de Afrikaanse zin van het woord maakte hij deel uit van onze 'uitgebreide familie'. Hij had Sveva zien opgroeien, en ik had ervoor gezorgd dat hij een internationale beroemdheid werd. Zijn huwelijk met Hellen, de geboorte van zijn dochters.

Ik weet nog dat zijn eerste dochter geboren werd. 'Ik noem haar Acacia,' klonk de gelukkige stem van Michael aan de telefoon, 'ter ere van de boom op het graf van Emanuele.'

Toen Philip van Edinburgh, beschermheer van het wwf, in Kenia kwam om de prijzen toe te kennen voor de bescherming van de neushoorns na de voettocht van Michael, stonden wij naast elkaar naar Sveva te kijken, die heel lieftallig met een bos bloemen in haar handen boven aan een trap in het nationale park van Nairobi stond te wachten.

'Wat moet ik doen?' had Sveva mij die ochtend gevraagd.

'Je moet de prins de bloemen aanbieden en glimlachend een buiging maken. Als hij je iets vraagt, moet je hem zonder angst antwoorden en hem altijd "sir" noemen, net als het hoofd van je school.'

Het groepje hoogwaardigheidsbekleders was precies op tijd aangekomen en stapte uit de auto. Prins Philip was de eerste, sportief gekleed in een kaki jasje, met een das van zachte stof. Om hem heen droegen alle anderen blauwe pakken: Hugh Lamprey van het WWF, de Engelse ambassadeur, de minister van Toerisme, Muhoho, het hoofd van de organisatie ter bescherming van de wilde dieren, Pérez Olindo, en andere Keniaanse personages. Een journalist met een fototoestel liep voor hen uit en nam foto's.

Ik merkte meteen dat Sveva niet wist wat ze doen moest: ze wist niet wie onder al die aanzienlijke personen de prins was en keek ze een voor een aan, in verbijstering. Een beetje bezorgd, maar ook vermaakt, vestigde ik de aandacht van Michael op haar.

'Ze weet niet wie het is. Ik had aangenomen dat ze hem zou herkennen, maar hoe zou ze, ze is nog maar zes...'

'Ze vindt er wel wat op,' zei Michael bemoedigend, zeker van zichzelf zoals altijd. Op dat moment zagen we Sveva, een beetje rood in haar gezicht, haar bloemen aanbieden met een snel buiginkje.

Ze had er wat op gevonden.

Later vertelden ze ons dat de prins, die meteen haar verwarring had gemerkt, haar had gevraagd: 'Voor wie zijn die mooie bloemen?' en Sveva meteen daarop: 'Ik moet ze aan de prins geven, sir.'

'Dan zijn ze vast voor mij.'

Af en toe nam Michael een *matatu* tot het dichtstbijzijnde dorp en liep dan de laatste kilometers tot Laikipia om deel te nemen aan de rodeo's ter herinnering aan Emanuele, of om te spreken voor de kinderen van ons centrum voor milieueducatie.

De geïnspireerde oprechtheid van zijn woorden stimuleerde het publiek, en er ging een enorme fascinatie uit van zijn kleine vastberaden gestalte die langs de wegen van de wereld liep, gevolgd door enthousiaste aanhangers. Als hij over neushoorns sprak raakte hij in vuur en vlam en kreeg zijn gezicht een andere uitdrukking; zijn passie was meeslepend en aanstekelijk.

Hij nam deel aan verschillende operaties met de neushoorns van Laikipia en ik was er trots op dat ik hem mocht vragen om deel uit te maken van het bestuur van de Gallmann Memorial Foundation.

Op de dag dat ik hoorde dat hij ziek was, erg ziek, belde ik hem meteen. Zijn stem klonk zwak en veraf, maar hij wist er toch veel enthousiasme in te leggen toen hij me kort sprak over een overplaatsing van neushoorns naar Tsavo.

Ik belde ook zijn dokter om inlichtingen in te winnen. Het zag er naar uit dat er weinig hoop was: de behandeling was kostbaar en misschien was het te laat om eraan te beginnen. Ik bood mijn hulp aan en besloot hem de week erna te gaan opzoeken.

Een zomermiddag – het regenseizoen in Laikipia.

'Ik heb een melding van een mannetjesneushoorn, een grote mannetjesneushoorn bij de schoolvijver,' zei een stem op de radio. Dat leek me vreemd: een neushoorn vroeg in de middag. Onze neushoorns in Laikipia zijn nachtdieren.

Ik voelde dat als een voorteken, een vreemd voorgevoel, en ik dacht aan Michael, die zo ziek was.

Het was 9 augustus 1999 en ik reed in grote haast naar huis: ik keek juist naar een kudde olifanten in de *dam* Ngobithu toen via onze interne radio een dringend bericht binnenkwam dat ik het kantoor moest bellen.

Een paar minuten later zei de secretaresse zachtjes in haar mobieltje: 'Er is vanuit Mombasa gebeld. Michael Werikhe is vanochtend gestorven.'

Op de nauwe binnenplaats viel eerst het zingen op.

Kleine gestaltes zaten treurig in de schaduw van een gestreepte plastic tent en hieven christelijke gezangen aan gemengd met plaatselijke liederen in het Swahili. Mannen met trommels, moslimmeisjes met witte rouwsluiers stonden naast jongens in smetteloze overhemden.

Het was heet in Mombasa op de dag van zijn begrafenis. Het vliegtuig was vol en de verzengende hitte van de zon op het vliegveld had ons verdoofd. Sveva, die een lange blauwe rok aan had, klemde zich aan mijn arm.

Ik had een toespraak voor de begrafenis geschreven. Een kleine Afrikaanse band speelde treurige melodieën en midden tussen hen in, glanzend op houten schragen, stond de baar.

Op de baar zag Michael er mager uit, vredig, hij had zijn bril niet op en leek haast leeftijdloos. Heel anders dan de gezonde atletische jongen, die langs de wegen van de wereld had gemarcheerd.

Vertrekkend van de oevers van de Indische Oceaan had deze onbekende jongeman, tegen alle waarschijnlijkheid in, het leven geschonken aan iets buitengewoon belangrijks, dat niet tegelijk met zijn fysieke leven hoefde te verdwijnen.

Zoals alle echte leiders wier voorbeeld generaties volgelingen inspireert, lang nadat hun levensreis beëindigd is, had Michael een reeks sporen voor ons nagelaten, om te volgen.

Sveva en ik, met een witte hoofddoek om ons hoofd, gaven hem onze laatste groet met wenend hart en droge ogen. Wij hadden het geluk gehad hem gekend te hebben.

De meer dan Spartaanse eenvoud van zijn huis had ons getroffen. Een labyrint van gemeenschappelijke gangen en trappen, en balkons met wasgoed waar kinderen met wijd opengesperde ogen ons zwijgend aankeken. Er was geen stromend water, de lampen zaten onder de vliegen, overal hing een lucht van gebakken uien en kardemom, en vrouwen in veelkleurige *kanga*'s zaten blootsvoets gehurkt op de keukenvloer en kookten stevige gekruide spijzen voor het begrafenismaal op een vuurpot die op drie stenen steunde.

Zijn beide dochters, Acacia en Kora, in hun mooiste gesteven witte jurkjes, versierd met kant, en schoenen met hoge hakken, zaten daar braaf, triest en stil. Sveva, met rode ogen, haar hoofd op mijn schouder, zei: 'Hij was een soort heilige. Er was licht om hem heen. Kijk eens hoe hij op iedere foto glimlacht. Waarom moest ook hij heengaan?'

De wegen van Mombasa die naar het kerkhof leidden waren bezaaid met rottend afval. De zware takken van de mango's, met het vele blad en vol met oranje vruchten, hingen over de modderige straat, en sloegen langs het dak van onze krakkemikkige taxi, terwijl de chauffeur behendig de diepe plassen vermeed. In de lucht hing een zware lucht van *frangipane*, overrijpe vruchten, vanille en geroosterde *korosho*noten. Aan de kant van de weg roosterden magere jongens in kleurige T-shirts maïskolven en spiesjes kebab boven vuurpotten, die gemaakt waren van gehalveerde petroleumvaten. Kleine vrouwtjes, van top tot teen bedekt met glanzende zwarte *buibuis*, glipten door de menigte, terwijl ze met lasten en manden op hun hoofd balanceerden.

Het dagelijkse gedoe van het drukke leven aan de kust domineerde alles, en de stoet auto's en de rouwenden die te voet de baar volgden waren slechts een van de vele facetten van het leven van alledag.

Een flamboyant in volle bloei had vlezige, rode bloemblaadjes gestrooid op het terrein van het kerkhof, en een kwam er terecht in het open graf, voordat aarde en cement het afsloten.

Toen ik naar boven keek in de emailblauwe hemel zag ik een meeuw.

X

DE HEUVEL VAN DE VERLOREN GEIT

Gods wegen om zijn wonderen te verrichten,
zijn ondoorgrondelijk.
WILLIAM COWPER, *Olney Hymns*

Toen Sveva zich op haar achttiende met Charles Hoffman verloofde, vond ik dat ik voor haar bruiloft op Ol ari Nyiro een heel bijzondere plek moest vinden.

Geboren en getogen in Kenia, voelde Sveva zich een echte Afrikaanse en zo werd ze ook door iedereen beschouwd. Het nieuws wekte daarom dan ook wijd en zijd opwinding onder al onze buren.

'*Sisi nasikia arusi ya Makena nakaribia,*' zei Selina, de dochter van Mama Langeta, '*na sisi ta kuja kuimba kwa yeye.*' We hebben gehoord dat het huwelijk van Zij die Glimlacht gauw zal plaatsvinden en we zullen voor haar komen zingen en dansen.

Het huwelijk van Makena was een erg belangrijke gebeurtenis, want ze werd beschouwd als de dochter van een leider en iedereen verwachtte passende feestelijkheden met veel pracht en praal.

Het huwelijk is net als de besnijdenis een heel belangrijk overgangsritueel in de traditie van alle stammen. Makena was enig kind, en ik werd beschouwd als een 'oude wijze' of 'Mama Mzee' en genoot in de kring van naburige stammen veel gezag.

Om als *mzee* te worden beschouwd hoefde je geen eerbiedwaardige leeftijd bereikt te hebben: je hoefde alleen maar kinderen te hebben en een zekere positie in de plaatselijke maatschappij bereikt hebben.

Ik wist dat men grote *eshima* toekende aan de kwaliteit en de grandeur van de rituelen en ik wilde er zeker van zijn dat het feest dat ik ging organiseren aan hun verwachtingen zou voldoen.

165

Het belangrijkste was de juiste plek te vinden.

Die moest een buitengewoon uitzicht bieden en het gevoel geven dat men zich in een kathedraal bevond die door de hand van de natuur gebouwd was.

Met de jeep en te voet verkende ik alle hoeken van de ranch en eindelijk vond ik in het zuidwestelijke gedeelte van Ol ari Nyiro de heuvel van Kurmakini, wat in het Masai 'heuvel van de verloren geit' betekent. Een merkwaardige naam, die wie weet hoe lang geleden gegeven was, en waarvan ik graag de herkomst had willen ontdekken, maar niemand leek daar nog een herinnering aan te hebben.

Ik begaf me op weg naar de top van de heuvel, waarbij ik langs een kronkelpad omhoogklom dat door de dieren die naar de drenkplaats gingen gemaakt was, en toen stond ik op de top.

Rondom het Baringomeer, dat ons zo vertrouwd was met zijn eiland in het midden, liep de diepe kloof van Sambara, waar eindeloze dalen samenkwamen in een ruigbegroeide reeks ravijnen, die daarna allemaal tegelijk het Grote Riftdal in doken. Het Baringomeer lag erachter en daarachter, blauw vanwege de afstand, verhief zich de heuvelrug van Cherengani. Het was een ongelooflijk mooie plaats, adembenemend, en we hadden helemaal rondom uitzicht op de lange Mlima ya Kissu – een smalle bergkam, kronkelend als een slang die in de kloof van Mukutan gleed – en op Kenia Impia, Mlima ya Kati Kati en de ronde heuvels van Kutwa. Er was heel veel plaats voor de tenten waar de gasten moesten slapen en een ruime open plek om de tenten op te zetten waarin de receptie gehouden zou worden; de punt van de heuvel in de richting van de dalen zou 'de kerk' zijn.

Het was de ideale plek.

De volgende dag liet ik hem aan Sveva zien, en haar ogen glinsterden van vreugde en opwinding. Ik had haar volledige instemming.

Vanaf dat moment begon er een periode van absolute concentratie en van voorbereidselen om de grote dag van mijn enige dochter tot iets onvergetelijks te maken.

Het eerste wat we moesten doen was een weg aanleggen. Onze oude *caterpillar*, die het merendeel van onze dijken had uitgegraven en honderden kilometers nieuwe wegen gebaand had voor meer dan één generatie, klom brullend tegen de hellingen op. Als herboren door deze inspanning, walste hij de struiken plat, te midden van rode stofwolken.

Daarna moesten we zorgen dat er water kwam.

Patrick Ali, een lange Turkana met een zonnige aard, die van aanpakken hield en goed kon organiseren en in wie ik het volste vertrouwen had, was onze assistent-manager.

Geboren in Ol ari Nyiro, kende hij er iedere rotsspleet. Hij gaf de ploeg van zijn broer Nasike de opdracht om de buizen te leggen en ze te verbinden met de bronnen van Enghelesha.

We verwachtten honderden gasten. Sveva en Charlie hadden veel vrienden, verspreid over de hele aardbol, en aangezien Ol ari Nyiro erg ver van welke stad dan ook vandaan lag, zouden ze bijna allemaal per vliegtuig komen.

De landingsbaan van Kuti was vele kilometers verwijderd van het uitgekozen terrein, ruim een uur rijden ervandaan. Daarom legden we een nieuwe baan aan op een veld stergras, een lang stuk tamelijk vlak grasland, niet erg ver van het bos en vlak bij onze kwekerij voor inheemse bomen.

Tenslotte moesten we nog de plek voor de receptie uitkiezen.

De top van de heuvels is meestal winderig. Een grote circustent zou weggeblazen worden door de wind. Daarom liet ik een constructie maken, in de vorm van een grote oosterse tent, die ik in de toekomst voor andere doeleinden zou kunnen gebruiken, en ik richtte hem in met kleden en beeldhouwwerken, Marokkaanse lampen, oude koperen vazen en huiden op Pokot-manier geborduurd met glazen kralen, bij wijze van gobelins. De hoofdtoon was een mengsel van Afrikaanse kleuren die Sveva het mooist vond: stralende koraaltinten, zonnig geel en rood.

Ik zette me helemaal in voor de bouw en de inrichting van deze grote ruimte, want zelfs het kleinste detail moest perfect zijn.

Dat duurde maanden.

Met het naderen van de grote dag werden de tenten voor de gasten in vele rijen langs de helling van de heuvel neergezet, als voor een middeleeuws toernooi.

Patrick, die als de beste oog had voor de fantastische scheppingen van de natuur – vond in het Boromokowoud twee majestueuze kromme stammen van de wilde olijf: nadat we ze naar de top van de heuvel vervoerd hadden, ze vervolgens daar hadden opgericht, en omwikkeld met een rasterwerk van wilde jasmijn, markeerden ze de ingang van de kerk.

Toen kwam de vooravond van de bruiloft.

De bouwwerken waren gereed: tussen de struiken waren slingers met talloze kleine lichtjes opgehangen, die als het moment daar was aangestoken zouden worden om in de duisternis te schitteren als een tweede firmament. Exotische rode en gele bloemen, wilde lelies en bossen jasmijn waren in indrukwekkende boeketten opgesteld en op de tafels lagen rode tafellakens, waarop honderden kaarsen stonden.

De vuren waren al aangestoken in de tenten die tot keuken dienden en Sveva's bruidsjurk met sleep hing in de tent waar ze zich zou terugtrekken om zich aan te kleden en zich op te doffen voor de ceremonie. Mijn mensen waren trots op hun nieuwe uniform, felrood met gele sjerp, en hun nieuwe fez.

Het koor van Muungano was al uit Nairobi aangekomen met een speciaal voor de gelegenheid gehuurde bus, en de Pokot-vrouwen van Churo, geleid door Selina en Esta, konden zó gaan zingen en dansen; de bruidsmeisjes en de bruidsjonker van Sveva waren er al, en de getuigen en de ceremoniemeesters, naar Engels gebruik, waren al geland. Zelfs dominee Adam Ford, Sveva's leraar op de school van Sint Paul in Londen, die in de loop van de jaren een fantastische, trouwe vriend was geworden, was speciaal uit Europa gekomen om de ceremonie te leiden. De families en veel vrienden waren al in Kuti.

Met Sveva en de anderen begaf ik me naar Kurmakini voor de generale repetitie. Ook al had ik alles tot in de details gepland, toch was ik me er wel bewust van dat ik niets zou kunnen uitrichten tegen het weer, tenminste dat dacht ik.

Maar het zag er niet naar uit dat ik me zorgen hoefde te maken; tot dusver waren de dagen helder geweest en scheen de zon.

September is doorgaans geen regenachtige maand. Maar in deze tijd, nu de natuur zoveel milieurampen te verduren heeft, valt er niets meer te voorspellen.

Dreigende wolken begonnen zich – helaas – te verzamelen in het begin van de middag, en vlak na onze aankomst ging het regenen.

De lucht was loodgrijs, een ijskoude mist steeg omhoog uit het dal; het Baringomeer werd onzichtbaar en er stak een ijzige wind op. Het fantastische landschap verdween in de mist. De bruidsmeisjes stonden te klappertanden, de Pokot-vrouwen hulden zich stevig in hun dekens, het koor weigerde de bus uit te gaan uit angst dat ze door de kou hun stem zouden kwijtraken. Alleen Adam, met zijn brevier, liep kalm rond met een glimlach die zoals altijd vertrouwen inboezemde.

Ik stelde me al voor hoe maandenlange zorgvuldige voorbereidselen voor niets gedaan waren, ik had al een visioen van de wanhoop van Sveva, van auto's die in de modder waren blijven steken, vliegtuigen die niet konden landen, gasten voor de grote dag die met hun elegante kledij op natte stoelen moesten zitten, bloemen die weggevaagd werden en het gezang dat verloren ging in de huilende wind... en de stemmen en de muziek, en de wit met gouden bruidsjurk... het was een ondraaglijke gedachte, en het ergste was het besef dat ik er niets aan kon doen.

Echt niet?

Op de meest dramatische momenten, als alles verloren leek te zijn, is mijn geestkracht me altijd te hulp gekomen.

Wat kon ik doen? Wat konden mijn beschermengelen doen om mij te helpen? Hoeveel bezweringen had oma kunnen verzinnen als zij erbij geweest was? Zouden haar kruisjes iets hebben kunnen beginnen tegen het woeden der elementen?

Maar dit was Afrika, een land waar magie werkelijkheid is en iedere dag wordt beoefend.

Terwijl ik de lange sjaal van *kikoi* strak om mij heen trok om mij te beschermen tegen de wind, zocht ik naar Cheptosai. Ze had samen met Selina en de groep oudere vrouwen een schuilplaats gevonden in onze vrachtauto.

Het loodgrijze licht wierp een spookachtig schijnsel op haar gerimpelde, leeftijdloze gezicht. Van tussen de rimpels van haar huid namen haar levendige ogen mij aandachtig op.

'*Karam nyaman, Cheptosai.*' Cheptosai, ik heb jouw hulp nodig. Ik richtte me vol respect tot haar.

Ze bleef mij onbewogen aankijken.

'Ik weet wel dat hier waar wij wonen de regen altijd welkom is.'

Ik knikte in de richting van het water dat aan alle kanten neerstroomde.

'We weten wel dat de regen een grote zegen is. Maar er zijn toch ook gelegenheden in jullie leven – een ceremonie, een besnijdenis – waarbij jullie geen regen wensen, al was het maar voor die ene dag. Help mij. De *arusi* van Makena mag morgen niet geruïneerd worden. Haar en mijn *eshima* moeten intact blijven.'

Ze verroerde geen ooglid.

Ik smeekte haar.

'Er moet een magie zijn, een goede toverspreuk die jij kent. Jij bent een oudere. Je bent wijs. Je hebt verstand van magie. Er moet iets zijn... ik vraag het je, leer me dat.'

Haar plotselinge tandeloze glimlach was als een streling die mij weer tot leven bracht.

Ze knikte.

'*Ndio, iko.*' Ja, die is er.

En ze vertelde het me.

De oudste vrouw van de *boma*, de matriarch – ik in dit geval – moest in haar eentje gaan slapen op de plek van de ceremonie. Ze moest voor zonsopgang wakker worden en dan moest ze zich ongezien – dat is erg belangrijk – begeven naar exact die plek waar de ceremonie zou plaatsvinden.

Daar moest ze, voordat het roze licht van de opkomende zon de grauwheid van de nachtelijke savanne tot leven zou wekken, een nieuwe *panga* in de grond steken en die daar achterlaten, zonder dat iemand het zag, totdat de regen opnieuw welkom was. Alleen dan zou ze hem mogen verwijderen.

Ik omhelsde haar en praatte er met niemand over.

We keerden naar huis terug, zonder enige repetitie te hebben kunnen houden, en iedereen in de auto zweeg gedeprimeerd, behalve Sveva die, met de ontembare geestkracht die ze van Paolo had geërfd, probeerde het moreel op te krikken.

'Morgen schijnt de zon. Ik weet het zeker. Ik beloof het jullie.' Ik hoopte vurig dat ze gelijk had.

Na de maaltijd verliet ik stiekem Kuti en de zeventig gasten die al voor de bruiloft waren gekomen, en reed ik in het nachtelijk duister, met naast me een nieuwe *panga*, die ik zorgvuldig in mijn deken gewikkeld had.

Olifanten staken voor de auto de weg over naar de grote dijk, en daarna kwamen er buffels met nog verse modderkorsten op hun lijf, en na ongeveer twee uur reed ik de helling op die naar de heuvel van Kurmakini leidde.

Voor de top zag ik in het licht van de koplampen twee vreemde dieren over de weg rennen. Ze waren volmaakt wit, haast glanzend in het duister, het leken grote harige gazelles... een soort voorhistorische geiten met lange poten.

Ineens begreep ik waarom deze heuvel zo heette... ik hield mijn adem in... ik had ze gezien... de verloren geiten, de mythische figuren uit de legende bestonden echt.

Dat was een goed voorteken, dat moest wel.

Ik was aangekomen. Het noodweer was overgegaan in een lichte motregen. In de huwelijkstent had ik een groot bed neergezet voor het geval dat Sveva zou willen rusten.

Daar sliep ik. Of liever ik bracht er een onrustige nacht door, en smeekte de goede geesten van mijn oma en van alle machtige wijzen van Afrika dat de magie zou werken.

Voordat de zon opging in een hemel van paarlemoer, sloop ik de tent uit, en zorgde dat er zelfs geen opgeschrikte dikdik getuige was van mijn bezwering.

Terwijl ik mijn kaftan om me heen trok, knielde ik neer onder een bosje donkergroene *mukignei* en veegde met mijn hand de dode bladeren van een klein stuk rode aarde.

Met mijn hart vol liefde voor mijn kind, zonder toe te staan dat gemene twijfel mijn concentratie verstoorde, vroeg ik de goden om vergiffenis voor de gewelddadige handeling die ik ging uitvoeren, hief ik mijn arm op en stak de machete in de aarde.

Het lemmet drong diep door in de weke grond.

'Paolo, Emanuele, oma,' bad ik in stilte. 'Ik smeek jullie, help mij.'

Het licht was blauw en koraalrood, de lucht onbeweeglijk en lauwwarm. De bleke heuvels ontvouwden zich tot aan de verre horizon.

In een sprookjesachtig decor, tegen de grandioze achtergrond van met zonlicht overgoten dalen, omgeven door zijn getuigen, wachtte Charles op zijn bruid.

De Pokot-vrouwen begonnen te zingen.

Het was een perfecte avond.

De beide enorme boeketten *mukignei*, met een rood lint erom, werden bij wijze van poort opzij geschoven door Gatwele en Mwangi, die er schitterend uitzagen in hun uniformen, en ik trad naar voren met Sveva aan mijn arm, een schitterend visioen van goud en honing.

Ali en Nyaga liepen voor ons uit, en raakten symbolisch de gevlochten matten voor onze voeten aan met ceremoniële takken. Zes bruidsmeisjes en een bruidsjonker volgden, stralend in hun gele zijde, en onder hen waren ook de dochtertjes van Michael Werikhe.

Het uiterst elegant geklede publiek stond ontroerd op en draaide zich naar ons om.

Zelfs geen zuchtje wind.

Ik drukte Sveva's hand. De zon wierp een topazen glans op haar perfecte huid en haar lange blonde haar. Ze straalde.

'*Malaika, nakupenda malaika…*' Engeltje, ik houd van mijn engeltje, begon het koor te zingen.

Het meer glinsterde en de avondzon schitterde donkerrood in de wolkeloze hemel.

Terwijl we langs Cheptosai liepen, fier in haar kralenversiering, kruisten onze blikken elkaar een ogenblik, wij keken elkaar strak aan en ik had de indruk dat ze naar me knipoogde.

De magie had gewerkt.

XI

AFRIKA, TENSLOTTE

En hij zeide: brengt geen schade toe aan de aarde,
noch aan de zee, noch aan de bomen.

Openbaring VII: 3

In Laikipia had je van die winderige nachten waarin je de hyena's
beter kon horen: hun gehuil leek dan op te gaan in het geweld van de
bries uit het noorden, en de honden blaften woedend tegen schimmen van onzichtbare dieren: de luipaard van de stuwdam van Paolo,
de buffels, de zebra's en de gevoelige elanden die kwamen grazen
langs de landingsbaan, en de olifanten die zich majestueus in het
donker voortbewogen onder de eucleabomen rondom het waterreservoir van Kuti, rustig, zonder zich iets van ons aan te trekken.

En in de juliavonden, als de regen op het dak roffelde en de kikkers
een woest levenslied zongen, hoorde ik de leeuwen brullen in het
verre heuvelland.

In het begin dacht ik vaak dat ik het voorrecht om in Afrika te
mogen leven moest verdienen door iets origineels en onbaatzuchtigs
te doen, zodat mijn aanwezigheid op de hoogvlakten van Laikipia iets
kon betekenen voor de aarde en voor de schuwe dieren die bescherming nodig hadden: een zegen voor de magische, nog niet verkende
landschappen, een geluk voor de mensen.

Hoe ik dat doel moest bereiken, was een raadsel dat mij 's nachts
uit de slaap hield; alleen ik kon het oplossen, en ik was mij ervan bewust hoe belangrijk het was.

Ik leidde een bijzonder leven en ik wilde iets terug doen voor dat
bijzondere voorrecht.

In de vlakte sprongen de impala's hoog op voor mijn auto, de buffels hieven hun massieve koppen op en snoven in de lucht, de leeuwen

– als ik het geluk had er een troepje van te ontdekken in een bocht van de weg –, die in het hoge gras van de savanne lagen, sloegen mij gade met eeuwenoude, berekenende gele ogen, de bavianen vluchtten blaffend weg met hun jonkies onhandig tegen de rug van hun moeders geklemd, de waterantilopen keken me aan, onaandoenlijk en buitengewoon mooi met hun lange haar, terwijl de gazelles uit het bos, angstig en schuw, met hun bruinfluwelen vacht sierlijk over de hellingen naar beneden dartelden. Ik droeg met vreugde en vrees de last van de immense verantwoordelijkheid omdat ik de beschermster was van hun kwetsbare bestaan.

Ik was me bewust dat niets van dit alles had kunnen bestaan als ik besloten had dat de bescherming van het natuurlijke milieu van Ol ari Nyiro mijn krachten te boven ging en dat mijn middelen er niet toereikend voor waren.

Na de dood van Paolo, en daarna die van Emanuele, groeide het gevoel van verantwoordelijkheid, dat ik altijd gehad had en met hen had gedeeld, en zo ontstond een visioen dat mij weer nieuw leven, hoop en een doel gaf.

Ik besloot dat er iets unieks en nuttigs tot stand moest komen te hunner nagedachtenis op de plek waarvan zij het meest hadden gehouden. En zo richtte ik de Gallmann Memorial Foundation op. En toen het Wilderness Education Centre – de milieuschool voor kinderen – gebouwd werd ter herinnering aan Emanuele en daarna The Institute for African Humanities and Biodiversity, en jongeren uit de hele wereld deel kwamen uitmaken van mijn droom en Afrika leerden kennen, terwijl hun leeftijdgenoten uit Kenia bij ons hun wortels kwamen hervinden, voelde ik dat ik een van mijn voornaamste doelstellingen bereikt had: door de ogen, de harten en de herinneringen van deze jonge mensen zou Ol ari Nyiro eeuwig blijven leven.

Nu Emanuele niet langer in staat was om het te beschermen, zouden anderen dat wel doen: deze nieuwe generatie, die van onze planeet een betere plaats zal maken. Want boven alles wilde ik dat hij niet voor niets zou hebben geleefd en dat, nadat hij de wereld van het bekende had verlaten, via een brug van liefde een doel bereikt zou worden, dat het offer van zijn verlies waard zou zijn.

De jaren gingen voorbij.

Het lang verwachte en zo gevreesde millennium was aangebroken zonder ogenschijnlijke veranderingen, zonder drama's, haast een anticlimax na al die overdreven voorbereidingen, voorspellingen van rampen, en zekerheden dat er onverwachte, grote en opvallende veranderingen in het wereldgebeuren zouden plaatsvinden.

Natuurlijk was alles als vanouds, speciaal in Afrika. De echte tragedie in Kenia was de grote droogte van voorjaar en zomer 2000 – de ergste sinds mensenheugenis – die de aarde verdroogde, de bodem spleet en het weinige vocht dat in de grassprieten was overgebleven, opzoog.

Zelfs mijn regenstok werkte niet meer: de kleine houtkevers hadden hem ontdekt; de daarin verborgen zaden, die een onweerstaanbaar geluid produceerden – als het neerstorten van een tropische regenbui – waren opgelost in een ongrijpbaar stof, dat nu geen enkele kracht meer had.

Ook Ol ari Nyiro werd geteisterd door grote droogte. De boom – mijn zusterboom – op de top van de heuvel Mugongo ya Ngurue, de oude wijze acacia, groeide, verdorde en stierf.

Zij stierf rechtop, met haar massieve donkergrijze stam, verwrongen door generaties van zon en regen, maar op de oude dorstige takken, korstig door de gedroogde en verkalkte bladeren van een laatste onwaarschijnlijke bloei, op de huid van de oude dode matriarch, waren nog verspreide colonnes zwarte mieren in de weer, en het leven ging door.

Voor mij was het het eind van een tijdperk; alsof een geliefde en gerespecteerde vriendin haar laatste adem uitblies. Ik had haar altijd beschouwd als de beschermster, de wachteres van Ol ari Nyiro, en haar einde leek me een sinistere herinnering aan de onbestendigheid en de tijdelijkheid van alles.

Eigenlijk had ik nooit gedacht dat de oude dame kon sterven, omdat het net was alsof ze er altijd al geweest was.

In zekere zin leek ze op Cheptosai, de matriarch van de Pokotstam, die trots en rechtop het verwoestende verstrijken der jaren tartte, mager als een bruine sprinkhaan en even soepel en droog.

In de regel kon ik zien dat het droge seizoen aangebroken was, aan mijn grasveld, dat zich van mijn kamer uitstrekte tot aan de graven achter het zwembad.

Toen het water schaars begon te worden, liet ik het zwembad tot een soort poel worden, een stukje lagune, groenig en vol algen – een genot voor de kikkers – en ik gebruikte het water van die poel om het gras te besproeien.

Daarna, op een dag, midden in het droogste jaargetij, hield het water dat van de stuwdam van Paolo kwam plotseling op met stromen; uit onze kranen kwam alleen een laatste zucht, en mijn tuinman, Abraham Muiteria, haalde zijn schouders op en met een vriendelijke glimlach op zijn aangename gezicht klaagde hij: *'Ni ndofu: kwisha kata ferechi.'* Het zijn de olifanten, ze hebben de buizen kapotgemaakt.

De olifanten voelden met hun slurf aan de buizen en als ze water roken tilden ze ze op en sloegen ze stuk om te kunnen drinken. Zo onderbraken ze onze watervoorziening. Na een poosje was ook het water achter de stuwdam helemaal op. Op de bodem bleef een dik, bruin drab achter, dat de kleur en het aanzien had van gesmolten chocola en in de buizen opdroogde en zo hard werd als krijt. Abraham Muiteria klaagde opnieuw: *'Hakuna magi, na kauka kwa pipe.'* Er is geen water meer, het is opgedroogd in de buizen.

Het gras werd overal geel, praktisch onder onze ogen. De sprieten verdroogden en gingen dood. Ze vormden een gemakkelijke prooi voor het vuur, of ze kwamen weer groen bij de wortels op, zoals wanneer er weer natuurlijk haar aangroeit in een geblondeerd kapsel. Muiteria liep rond met een kruiwagen, haalde water uit het zwembad en goot de overstromende emmers leeg in de verdorde bloemperken.

De droogte bracht overal in de streek rond Laikipia branden en verwoesting.

Ons gras was hoog en dor, en ik wist dat het onmiddellijk vlam zou vatten. Ik bereidde me op het ergste voor en al maanden tevoren had ik nieuwe brandgangen laten aanleggen, waar ik met tractoren het gras uit verwijderde tot op de rotsgrond, zodat de vlammen niet verder zouden kunnen omdat ze geen voedsel meer vonden.

De vonken van een vuur of van een onvoorzichtige honingzoeker, die overgebracht werden door de wind, volstonden om eindeloze branden te veroorzaken, die haast niet te blussen waren. In andere gedeelten van Laikipia, en ook in het woud van de Aberdares, woedde het vuur al dagen lang, en verwoestte leven en plantengroei. Ik wist dat het voor ons slechts een kwestie van tijd was.

Aidan hielp ons door vanuit zijn vliegtuig nieuwe branden in het gebied te signaleren, en het personeel van Ol ari Nyiro was dag en nacht op zijn hoede.

Op een avond, terwijl ik verontrust een zonsondergang observeerde van een overdreven, sinistere bloedrode kleur, waarvan het licht bleef hangen achter de heuvel van Mugongo ya Ngurue, zag ik hevig geschokt hoe er rookpluimen opstegen in de zone van Kutwa, en ik sloeg alarm.

We spoedden ons naar de bewuste plek. Loodkleurige wolken roet met oranje vonken schoten in het schemerduister omhoog, krachtige vlammen verwoestten de struiken, terwijl valken en andere roofvogels er in kringen overheen cirkelden om de insecten te vangen die door de brand verjaagd waren.

Later moesten we wel tien keer in de loop van twee maanden toesnellen, in het holst van de nacht, om met verse takken op het gras in lichterlaaie te slaan.

Er ontstond een speciale kameraadschap tussen degenen die aan deze operaties deelnamen, alsof de poging om het struikgewas van Ol ari Nyiro en de weerloze dieren die er leefden, te redden ons allen in een kruistocht verenigde. Met onze gezichten vuil van het roet en onze ogen rood van de as, deelden we onderling de veldflessen met water, voordat we doorgingen met de strijd tegen de gemeenschappelijke vijand.

Elke dag tuurde ik naar de lucht in oostelijke richting, in de hoop dat ik daar een wolk zou zien, en ik zocht op de Gerardie-acacia's tekenen van een komende bloei, die meestal de komst van de regens aankondigde.

Iedere nacht lag ik in mijn bed te woelen en wachtte ik klaarwakker op het getik van de regendruppels op het dak en als ik keek naar de oude schaatsen, die met een rood lint aan het hoofdeind van mijn bed gebonden waren – een cadeau van Paolo jaren geleden na mijn eerste operatie in het ziekenhuis van Bern –, bedacht ik hoe ver mijn symbolische tocht mij wel gebracht had.

Ik wist dat Paolo als hij mij had kunnen zien, zou glimlachen.

Toen merkte ik op een ochtend, in de verzengendste en wanhopigste periode van de droogte, hoe de wevervogels druk bezig waren om papyrusbladeren uit de visvijver te rukken en zo wist ik dat de regen niet lang meer op zich zou laten wachten. Toen hun nesten als kwetsbare mandjes in trossen aan de gele-koortsacacia's hingen, met daarin de blauwe eitjes die weldra uit zouden komen, kwam eindelijk de regen en waren de savanne en het woud andermaal gered.

Hoe is de verloedering van het milieu begonnen?

Mijn hemel, was onze ontdekking van Ol ari Nyiro soms niet het begin van een reis zonder terugkeer? Zo'n fascinerende plek, zo eindeloos uitgestrekt en toch zo kwetsbaar, aan alle kanten bedreigd door allerlei gevaren!

Hoe waardevol, maar ook hoe kwetsbaar het oerbos is, is met de jaren steeds duidelijker en dramatischer zichtbaar geworden, terwijl vlak buiten onze grenzen steeds meer land opgedeeld werd in kleine lapjes grond.

En terwijl het trotse, magische Afrikaanse landschap op sterven lag, begreep ik hoezeer ik bevoorrecht was geweest, omdat ik het gekend had, omdat ik me de reis vanaf Nyahururu nog kon herinneren als een geleidelijk naderen van de hemel, in de tijd toen ik de auto moest stoppen op het pad van rode aarde om de kuddes elanden, die leken op de vergeten antilopen van levendige rotsschilderingen, te laten passeren.

Er is veel veranderd, nu ik op de heuvel van Enghelesha zit en kijk naar de ergerlijke daken van golfplaten, die als spikkels te zien zijn op het voorhistorische landschap van de kale heuvels waar nog niet meer dan een kwart eeuw geleden de grote koedoes heersten.

Ik kijk naar het zuiden waar het landgoed Colobus lag, dat Antonietta uiteindelijk moest verkopen, waarmee ze zonder het te willen de vernietiging van de biodiversiteit van dat woeste en buitengewone landschap inluidde, en mij tegelijkertijd een lesje gaf dat ik nooit zal vergeten.

Nu is hun boerderij opgedeeld in honderden akkertjes, alle *mutaragwa*- en *mutamayo*-bomen zijn allang tot houtskool vergaan.

Eucalyptussen en Australische grevillea's, die niet tot dit ecosysteem behoren – en die de vogels en de insecten van dit stuk Afrika ook helemaal niet kennen – vormen de grenzen van piepkleine stukjes grond, beplant met aardappelen en maïs, geploegd waar eens kronke-lende paden schuchter hun weg baanden in het ceder- en *podo*-woud. Niets is er meer over van de oude ongerepte Afrikaanse natuur.

Het huis van de Buonajuti's is een school geworden, waar ik lid van het schoolbestuur ben, Mwenje Secondary.

En toch blijft in de naam Mwenje de herinnering aan het verleden bewaard, aan de Kikuyu-bijnaam waaronder Giannetto Buonajuti bij de mensen bekendstond: 'Mwenje', de plaats van de man die zijn haar afschoor.

Maar in Ol ari Nyiro is de tijd stil blijven staan. In het woud springen de colobusapen nog van tak tot tak, de buffels steken loeiend de weg over en de olifanten belegeren zoals altijd mijn moestuin, op het mo-ment dat ik dit opschrijf. Gisternacht nog probeerde een leeuw, aan-gelokt door de geur van kamelenvlees, mijn tuin binnen te dringen, en om de slaap te kunnen vatten moest ik mijn hoofd onder mijn kussen leggen, want mijn honden werden gek van zijn hongerig ge-hijg.

Vorige week ben ik gevraagd om een praatje te houden op een school, Ol Arabel, een paar kilometer van onze hoofdingang, nog voor het dorp Kinamba, dat de laatste jaren verrezen is aan het eind van de ge-asfalteerde weg. De leerlingen zijn vaak op Ol ari Nyiro geweest en hebben hun eerste olifant gezien in het milieucentrum dat ik ter ere van Emanuele heb opgericht.

Ik was nog maar net uit mijn auto, of ik kreeg een ovatie. Voordat ik besefte wat er aan de hand was, werd ik haast opgetild door honderd opgetogen zingende vrouwen. Elk van hen had een groene twijg in de hand waarmee ze zwaaide als teken van vrede en feest. Er waren stok-oude vrouwen bij, kromgegroeid en tandeloos, leunend op een stok. Maar er waren ook heel jonge vrouwen bij. De menigte was onafzien-baar: een menigte van vrienden.

De school heeft twee jaar achtereen de eerste prijs gewonnen van onze herbebossingscampagne en nu groeien er overal in het rond weelderige, goed verzorgde bomen. De onderwijzer liep trots met me mee naar het midden van een open plek, waar geschreven stond 'Gallmannplantsoen' en aan weerszijden stonden twee jonge acacia's, met een bordje bij hun voet. Op het ene stond 'Paolo' geschreven, op het andere 'Emanuele'.

Jongens en meisjes van de school hebben om beurten gedanst en gezongen, het schoolhoofd en de leider van hun 'wildlife club' hebben toespraken gehouden en iedereen applaudisseerde.

De vrouwen dansten en zongen traditionele liederen, die ik vergeten waande, en ze verdrongen zich om me heen, zodat ik met hen mee moest dansen.

Dansen met een groep Afrikaanse vrouwen, die vrij improviseren op de muziek en het ritme van hun stamliederen, hoort tot de meest bijzondere herinneringen van mijn leven in Kenia.

Het zingen van de Pokot-vrouwen komt al tot je voordat je ze kunt zien, in hun bruinrode camouflagekleren, van dezelfde kleur als de bosschages waaruit ze tevoorschijn komen. De meeste van hun liederen beginnen met 'haa-heheee/ haa-heheee' en er ligt zo'n krachtige vibratie in de zingzang van hun stem, dat hij in de lucht lijkt te hangen. Het geluid grijpt je aan, je wordt er helemaal in opgenomen, het is een oergeluid, en is zeer fysiek aanwezig, zoals de zon die op je huid brandt.

Zo sterk is de kracht van hun muziek dat ik er altijd een rilling van emotie van krijg, en vreugde en trots omdat ze het zo goed doen, alsof het de eerste keer is dat ik naar ze luister.

Ik ben gelukkig als ze om me heen dansen, met hun soepele lichaampjes, met opspringende kettingen en met vet ingesmeerde vlechtjes; hun leren rokken maken onder het dansen golvende bewegingen en hun armen verheffen zich in een groetend gebaar met een onverwacht snelle beweging van de armbanden van giraffenstaarthaar, en hun geur van as en melk, van zweet en geitenvet – hun rookgeur – is het aroma van Afrika zelf, evenals de geur van *lelechwa* in de zon, de mossige graslucht van de buffels en de olifanten, de welriekende geur van de *lemuria*-bloemen, de geur van de eerste regen op het rode stof, van de maïskolven die geroosterd worden op het houtvuur, of de smaak van rijpe mango's, en van papaja's uit de bergen.

De Kikuyu-vrouwen die die dag in Ol Arabel om mij heen dansten, waren van een glorieuze woestheid, en volkomen oprecht in het spontane enthousiasme waarmee ze zich overgaven aan hun gezang, zodat ik me diep vereerd voelde en ontroerd door hun ongekunstelde liefdebetoon.

Een oude vrouw kwam naar me toe dansen en gaf me een rode leren ceintuur, een andere hulde me in net zo'n *shuka* als zij droegen, en een derde knoopte mij op Kikuyu-manier de band om mijn hoofd, waaraan een nieuwe *kiondo* vastzat. Daarop hadden ze met raffia 'Kuki' geborduurd.

Het enthousiasme, de gastvrijheid en de menselijke warmte van hun eenvoudige ontvangst brachten mij de tranen in mijn ogen.

In mijn toespraak, in het Swahili, had ik het over de tijd waarin het dorp Kinamba nog niet bestond; toen de weg van Nyahururu naar Ol ari Nyiro uit rood, korrelig stof bestond en ik mijn auto vaak moest stoppen om de kuddes wilde dieren te laten passeren; over de tijd toen we dachten dat de ongerepte natuur altijd zo zou blijven.

Nu hebben hun kinderen juist in Ol ari Nyiro hun eerste wilde dieren gezien.

Daarna kwam er een oudere man uit de menigte naar voren en bleef tussen ons in staan. Met een zwakke stem, die naarmate hij praatte steeds flinker werd, zei hij in het Swahili terwijl hij me met veel respect aankeek: '*Mama* Kuki: *uligiua bwana yako na kijana yako pia.*' Ik heb je man en ook je zoon gekend. We weten dat je grote verliezen geleden hebt, *pole sana**, maar toch ben je gebleven. En we weten allemaal heel goed dat jij het was die besloten hebt ons te helpen. En alle dagen bidden we voor je, want als jij er niet was in Ol ari Nyiro, zou ook ons leven niet door kunnen gaan.'

Ik wist dat hij zinspeelde op de veediefstal door nomadenstammen, waartegen wij ze beschermd hadden.

Hij keek naar de menigte, hield een pauze en zei iets onverwachts, wat mijn keel dichtsnoerde van emotie.

'Ik wilde jullie vragen om op te staan en jullie hoofd te ontbloten

---

* Dat spijt ons zeer.

181

en twee minuten stilte in acht te nemen, ter nagedachtenis aan Emanuele, de zoon die deze *mama* heeft verloren.'

In de middagstilte kon je een speld horen vallen. Voor hen allen, ook de kleinste kinderen die nog niet eens geboren waren toen Emanuele stierf, was hij op dat moment levend en echt.

Dankzij het feit dat hij geleefd had, hadden ze avontuurlijke dagen beleefd op Ol ari Nyiro, en hadden ze boeken in hun klas en waren buitenlandse studenten hen komen opzoeken, in dat verloren hoekje op de hoogvlakte, om hun geschenken en de hele wereld te brengen.

De namen van Paolo en Emanuele – zoals ook gebeurd was met Mwenje – blijven hier voortleven, in deze uithoek van Afrika, omdat hun verblijf hier een belangrijk moment is geweest, tekenen heeft achtergelaten en resultaten heeft geboekt in de loop der jaren.

Zo ontstaan legenden, begreep ik nu.

En de mensen die na mij komen, zullen die nog denken aan Nyawera, Kuki of Mama One, zoals ze me nu noemen?

Zal mijn schim nog rondwaren over de top van de heuvels en over de dalen, als een onzichtbare schildwacht, en zal de herinnering aan mijn stem één geheel gaan vormen met het gesnuif en getrompetter, met het kwetteren van de vogels, het kindergezang en het gehuil van de wind in dat Afrika dat ik heb liefgehad?

En zal er uit mijn lichaam een nieuwe boom groeien, spijs voor de bijen, nest voor de toerako's, schaduw voor mijn nog ongeboren kleinkinderen?

Het antwoord ligt in het diepst van mijn hart verborgen, waar de meest waarachtige dromen leven: het bewustzijn van een keuze die ik gemaakt heb met totale zekerheid, waarbij ik mijn toekomst recht in de ogen keek.

De nacht luistert, de stilte is vol stemmen. De honden zitten bij elkaar op het gras en kijken het duister in. Het vuur brandt onder de gele acacia's en werpt schaduwen op de twee stenen eromheen. De olifanten zijn de tuin binnengekomen.

Ik weet dat ik op een dag ook Afrika zal worden.

APPENDIX

VRUCHTEN DER AARDE

Voedsel is belangrijk: het kan ons veel plezier verschaffen. En door dat voedsel kunnen wij onze eerbied voor moeder aarde tonen door met respect te nuttigen wat zij ons aanbiedt.

Op die manier nemen wij onze plaats in de schepping in. Daarom dienen we zowel bewust als met belangstelling te leven en iedere gave dankbaar en enthousiast te aanvaarden.

Ik hoop dat er iets van deze gedachten terug te vinden is in dit boek.

Opdat mijn verhalen op waarheidsgehalte getoetst konden worden, besloot ik ze vergezeld te laten gaan van een aantal recepten. Mijn vrienden zullen die zeker herkennen want ze betreffen de gerechten die ik het liefste bereidde, in mijn keuken in Kuti. Deze reeks recepten, die ik nog ken uit mijn kindertijd, danken hun naam aan reeds lang overleden personen, of verwijzen naar plaatsen of gebeurtenissen. Omdat mijn kok Simon kan lezen noch schrijven, en ook geen Engels spreekt, worden sommige recepten aangeduid in het Swahili. De namen zijn een beetje aangepast zodat hij een speciaal recept makkelijker herkent; hij kan het dan in verband brengen met een gebeurtenis op de dag dat we het voor de eerste keer klaarmaakten. Ook verwijzen ze wel naar iemand die het recept heeft bedacht of er bijzonder dol op was.

Omdat de oorspronkelijke ingrediënten in Europa niet te krijgen zijn, bevat elk recept een lijstje met westerse ingrediënten die er sterk op lijken.

Je hebt grote en kleinere eieren en zo is het ook met de eetlust en het aantal gasten. Ik ben nooit erg goed geweest in afmeten en wegen. Als ik kookte ging ik altijd af op mijn gevoel en gezond verstand bij het bepalen van de verhouding tussen de verschillende ingrediënten.

De lezer moet daarom zélf maar zien hoe hij een en ander doseert. Dit is immers geen kookboek maar een levensgeschiedenis, die zich afspeelt in Europa en Afrika, waarin tafelgeneugten een belangrijke plaats innemen.

Bij kookrituelen waar ook ter wereld zijn kersverse en eersteklas ingrediënten een absolute voorwaarde. Maar de belangrijkste elementen om elk gerecht, hoe eenvoudig ook, op een hoger plan te tillen zijn: smaak, fantasie, flair, passie, feeling en vooral liefde.

We eten allemaal, we kunnen niet zonder. Daarom zou eten een ritueel moeten zijn, een geweldige, sensuele ervaring waarmee wij eer kunnen bewijzen aan het leven en aan de natuur in al haar gedaanten.

Maar we moeten ons goed realiseren dat we allereerst met onze ogen eten.

RISI E BISI ZOALS BIJ OMA IN VENETIË
Muchele ya kisima na harufu ya nona

doperwtjes uit Kisima • *1 witte ui, gehakt* • *1 glas droge witte wijn* • *kippenbouillon* • *gepelde Arboriorijst* • *1 geraspte wortel* • *geraspte parmezaanse kaas* • *boter* • *peterselie* • *maïsolie*

Mijn vriend Aidan was gezegend met kleinkinderen die, net als hij, alles wat ze aanraakten in goud veranderden. Wat ze ook ondernamen, het resultaat was altijd optimaal; onder hun handen leek alles tot bloei te komen.

Zo hadden ze bijvoorbeeld een boerderij die Kisima heette, naar een bron midden op het terrein waaruit fris drinkwater opwelde. Daar werd merinoswol geproduceerd, voor de verkoop aan Engeland, en graan (twee oogsten per jaar). Verder bonen en bloemen voor de Europese markt, knapperige havervlokken en de lekkerste doperwtjes van de hele wereld: klein, lichtgroen en heel zoet, heel fijn en ongeëvenaard van smaak.

Voordat deze van Kisima afkomstige heerlijkheden hun intrede deden, zaten in Oost-Afrika de doperwten verschanst in hun ondoordringbaar peulenpantser. Als gevolg van het te hete klimaat waren het harde geweerkogeltjes die je eigenlijk niet kon eten.

In Venetië werden de malse mei-erwtjes altijd op talloze manieren verwerkt. Je kunt je mijn vreugde voorstellen toen ik die bijzondere recepten in mijn keuken in Kuti kon toepassen.

De 'erwtjes van Kisima' vormden de aanzet tot een grote verandering ten goede: ze brachten afwisseling in onze menu's. Ze werden zo populair dat Simon Itot, die alleen maar het hoogstnoodzakelijke Engels sprak en er een bescheiden maar expressief keukenvocabulaire op na hield, alle doperwten voortaan 'kisima' noemde.

Passeer de helft van de erwten door de roerzeef, vermeng ze met de warme bouillon en zet dit mengsel apart: hierin wordt later de risotto gekookt. (De erwtenpuree kan zonodig nog verrijkt worden met wat zachtgekookte peulen.) Fruit de gehakte ui, wortel en peterselie in boter met een beetje maïsolie totdat de groenten zacht zijn. Voeg vervolgens een kwart van de resterende erwten toe, plus de rijst. Roer tot de rijst al het kookvocht heeft opgenomen en begint aan te zetten. Dan de wijn toevoegen en laten verdampen.Vervolgens de warme erwten-kippenbouillon lepel voor lepel erbij schenken; goed opletten dat de rijst niet droogkookt. Ongeveer 20 minuten op het vuur laten pruttelen of zo lang als het u goeddunkt (de rijst moet nog wel bijt-gaar blijven). De rest van de erwten erbij doen en op smaak brengen met veel geraspte parmezaanse kaas. Daarover nog wat versgehakte peterselie strooien. Bij het opdienen moet de risotto tamelijk zacht van substantie zijn en een beetje 'wiebelen' als u hem op tafel zet. Gar-neer met peterselieblad.

KAASRAND MET ERWTEN VAN DE 'BOERDERIJ MET DE BRON', EN PADDESTOELEN
Cheese kupindua na kisima na mushroom

dikke, romige roux van boter en bloem • 1 kop parmezaanse kaas en 1 kop gruyère, beide geraspt • een snufje nootmuskaat • 6 eieren – eiwitten en dooiers splitsen • Kisima-doperwten • 1 witte ui, gehakt • peterselie • kippenbouillon • paddestoelen, in plakjes gesneden • gedroogd eekhoorntjesbrood, in warm water geweld • boter, bloem • gekookte ham, in dobbelsteentjes • peper en zout

Roer de geraspte kaas door de warme bechamelsaus (een beetje par-mezaan apart houden), de eidooiers een voor een erbij doen, en wat nootmuskaat. Zout naar smaak toevoegen, en afmaken met een snufje versgemalen zwarte peper.

Klop de eiwitten stijf met een mespunt zout en voeg ze, voorzichtig roerend, bij de saus. Schenk alles in een beboterde en met meel be-strooide rijstrand en laat die drie kwartier au bain marie koken totdat de kaasrand stevig en lichtbruin is.

Fruit de gehakte ui in een beetje boter tot ze glazig is en voeg zout en de helft van de gehakte peterselie toe. Dan gaan de erwten erbij en voldoende kippenbouillon om de erwten aan de kook te brengen; in 8 minuten kunnen ze zacht zijn. Voeg op het laatst de overige peterselie toe en de dobbelsteentjes ham. Even apart houden.

Fruit vervolgens de paddestoelen in wat boter en breng ze aan de kook met een beetje bouillon. Keer de kaasrand om op een ronde, voorverwarmde dienschaal; vul de opening in het midden met een gedeelte van de doperwten, en schik de rest van de erwten rondom de rand; daarna de paddestoelen rondom en boven op de kaasrand verdelen en de rest van de parmezaanse kaas erover strooien. Onmiddellijk opdienen.

RISOTTO MET PADDESTOELEN UIT DE TERMIETEN-HEUVELS
Muchele ya mboga ya mussua

Arboriorijst: 1 kopje per persoon, plus nog een 1 extra kop • gedroogd eekhoorntjesbrood, 1 uur in warm water geweld, en in stukjes gehakte verse paddestoelen • gehakte peterselie en knoflook • boter en olijfolie • een lekkere bouillon, het liefst kippenbouillon; maar het mag ook van bouillonblokjes met een scheut sherry erbij • droge witte wijn • geraspte parmezaanse kaas • peper en zout

Als u uitstapjes met de auto maakt, kunt u de paddestoelen plukken die na de regens op termietenheuvels groeien: ze zijn makkelijk te vinden omdat ze met hun witte kleur duidelijk tegen de rode aarde afsteken. In Europa kunt u ze vervangen door de hoeden van de grote parasolzwam.

Bewaar het weeknat van het eekhoorntjesbrood. Doe gelijke hoeveelheden boter en olie in een pan; fruit daarin de knoflook en een deel van de peterselie. Voeg vervolgens het in stukjes gehakte eekhoorntjesbrood en de verse paddestoelen toe en laat ze op hoog vuur meebakken. Neem de pan van het vuur, haal de helft van het mengsel eruit en houd dit apart.

Zet de pan weer op het vuur en voeg de rijst toe. Roer net zo lang tot de rijst doorzichtig is en alle kruiderij in zich heeft opgenomen. Giet de witte wijn erbij en laat die al roerend verdampen. Schenk vervolgens in kleine beetjes de kokendhete bouillon en het weekwater van het eekhoorntjesbrood erbij; daarna zout en peper toevoegen. Na 18 à 20 minuten moet de rijst klaar zijn en bijtgaar. Doe dan de apart gehouden paddestoelen erbij, en een scheutje sherry, en roer alles door de rijst. Neem de pan van het vuur en maak de rijst smeuïg door er een klontje boter en 1 kop geraspte parmezaanse kaas door te roeren, plus de rest van de gehakte peterselie. Roer alles krachtig maar wél voorzichtig door elkaar. Vóór het opdienen nog wat parmezaanse kaas, vermengd met peterselie, over de risotto strooien.

PADDESTOELENBIEFSTUK
Mushroom ya Kuchoma

verse, grote hoeden van de paddestoelen uit de termietenheuvels • *olijfolie* • *knoflook: 1 uitgeperst teentje per paddestoelenhoed* • *gehakte peterselie* • *versgemalen peper en zout*

Marineer de paddestoelen in de hierboven genoemde ingrediënten. Ze zijn dan klaar om opgediend te worden, maar ze kunnen ook nog even onder de grill. Dan geeft u er partjes citroen bij.

OMA'S REUZENSALADE
Salad kwbua ya jojo mzee

nieuwe aardappels • *lente-uitjes* • *rode bieten* • *hardgekookte eieren* • *olijfolie en wijnazijn* • *peper en zout*

Breng de aardappels in een pan koud water met wat zout aan de kook. Voeg daarna de uitjes en de bieten toe. Laat alles twintig minuten koken totdat de groenten roodgekleurd zijn. Snijd de nog warme groenten aan plakken en maak ze aan met olie, azijn, zout en peper. Dien deze salade koud op met plakjes hardgekookt ei.

ZOMERGROENTEN VAN VRIENDIN MARISA
Mboga ya rafiki ya mama Marisa

1 gele en 1 rode grote, zoete paprika • *1 flinke aubergine* • *2 witte uien* • *2 grote nieuwe aardappels* • *olijfolie* • *zout*

Verwijder de zaadjes en de witte zaadlijsten uit de paprika's. Snijd alle groenten in flinke stukken en breng ze op smaak met olie en zout. Doe dit mengsel in een glazen ovenschaal en plaats deze gedurende 3 kwartier in een hete oven. Af en toe roeren. De groenten moeten goed gaar zijn, maar niet papperig.

Dit gerecht smaakt heerlijk bij rosbief of gegrild vlees.

GESMOORDE WILDE SPINAZIE MET KARDEMOM
Karanga with cardamom and onion and dania

goed gewassen en vervolgens grof gesneden wilde spinazie • 1 kleine rode ui, gesnipperd • 1 grote tomaat, niet te rijp, in stukjes • gehakte verse koriander • 2 à 3 kardemompitten • maïsolie • peper en zout

Wilde spinazie (*spinach ya mustoni*) is het lievelingsvoedsel van olifanten. Je ziet dan ook vaak kleine kuddes in het veld grazen. De dieren plegen met hun poten tegen de planten te trappen om ze los te woelen. Daarna snijden ze de spinazie aan de onderkant af met hun scherpe nagels, pakken de planten op met hun slurf om ze vervolgens in hun bek te stoppen. Wilde spinazie komt voor in de buurt van stromend water en groeit in spiraalvormige ranken die zich over de vruchtbare rode aarde uitspreiden. De vrouwen plukken de spinazie meestal rond het middaguur. Ze binden die bij elkaar tot grote bladerbossen om ze mee naar huis te nemen. Daar stoven ze de spinazie met wilde ui en koriander. Daarbij eten ze dan *posho.*

Fruit de ui op een laag vuur in een beetje maïsolie met wat koriander en de gekneusde kardemompitten. Verwijder de pitten, doe de spinazie in de pan en laat die al roerend ongeveer 10 minuten smoren. Voeg halverwege de kooktijd de tomaat toe en nog wat koriander. Op smaak brengen met peper en zout.

RAUWE COURGETTES
Melenge bichi

kleine, rauwe courgettes • hele, verse noten • olijfolie • citroensap • een scheut
zure room • peper en zout

Snijd de courgettes in smalle schijfjes en besprenkel ze met wat citroensap.

Roer de zure room met de olie, het citroensap, de peper en het zout door elkaar tot een saus en giet die over de courgettes. Meng alles goed door elkaar en garneer met de noten. Deze koude salade kunt u opdienen met verse of gefrituurde courgettebloemen.

KOUDE AVOCADOSOEP
Supu barridi ya avocado

1 rijpe avocado, tegen het overrijpe aan • koude kippenbouillon • 1 fijngehakte
witte ui • citroensap • slankroom • worcestershire sauce • verse munt
(facultatief)

Ontdoe de avocado van de schil en pureer het vruchtvlees door een fijne zeef. Besprenkel de puree met citroensap, tegen het zwart worden.

Meng de avocadopuree met de ui en de room en verdun hem met de koude bouillon. Opdienen in diepe borden en op smaak brengen met een scheut worcestershire sauce. Versieren met een scheutje room en een takje verse munt.

AVOCADO IN PLAATS VAN EIEREN
Avocado kama maiai

1 rijpe avocado • citroensap • volle yoghurt • knoflook (facultatief) • tabasco
(facultatief) • zout

Dit is eigenlijk een avocadomayonaise.

Maak met een vork het vruchtvlees van de avocado fijn, besprenkel het met citroensap en meng het door de yoghurt. Voor wat meer smaak kunt u desgewenst nog 2 à 3 uitgeperste knoflooktenen toevoegen, met een beetje zout en een scheutje tabasco. Deze saus kunt u geven bij:
- koude vis, gekookte aardappels en kappertjes
- gekookte garnalen of *samaki ya mugu* (vis-met-pootjes)
- hardgekookte eieren, tonijn en radijs.

PITTIGE TOMAAT
Kachumbari

klein gesneden tomaten • gesnipperde rode ui • 1 fijngehakte hete groene peper • verse korianderblaadjes • een paar druppels citroensap • zout

Kachumbarisaus is heerlijk en door zijn exotische smaak heel goed te combineren met gegrild vlees en vleesspiesjes. Weer eens iets anders dan mosterd of de zachtere raita-saus.

Meng enkele uren voor u de saus wilt opdienen alle ingrediënten door elkaar, en bewaar hem op een koele plek.

Dien de saus op in een houten kom en schenk hem met een kleine lepel – ook van hout – over het gegrilde vlees.

RAITA – YOGHURTSAUS UIT INDIA
Sauce ya massiua lala detsuri ya wahindi

magere yoghurt • gehakte muntblaadjes • 1 komkommer, in stukjes gehakt • een halve sjalot, gesnipperd • verse koriander (facultatief) • een paar citroendruppels

Dit is een frisse saus, die uitstekend past bij gegrild vlees en kerriegerechten.

Meng alle ingrediënten zorgvuldig door elkaar en giet de saus in een grote aardewerken kom of in een aantal kleine kommetjes. Versier het gerecht met takjes verse koriander.

BROOD EN TOMAAT OP ZIJN ITALIAANS
Mukate na nyana detsuri ya italiani

2 grote, rijpe tomaten, liefst de Italiaanse pomodori • 4 sneden zelfgebakken brood of licht geroosterde stokbroodjes • 4 flinke tenen knoflook • een paar druppels citroensap • olijfolie (extra vergine) • zout • verse basilicumblaadjes (facultatief)

'Bruschetta' is heerlijk als amuse, hors-d'oeuvre of bij het aperitief vóór het diner; dit simpele sneetje geroosterd brood geeft picknicks en gegrilde gerechten nét iets extra's. Oorspronkelijk werd bruschetta voornamelijk door metselaars gegeten.

Mooie zongerijpte, rode, vlezige tomaten uit eigen tuin werden door eeltige handen uitgedrukt op zelfgebakken knapperig brood dat eerst nog was ingewreven met een teen knoflook; een piepklein straaltje olijfolie erover als finishing touch en een halve liter rode wijn om erbij te drinken: daar heb je de oerbruschetta, een koningshapje!

Langzamerhand werd het gebruikelijk om bruschetta bij het aperitief te serveren of als licht voorgerecht. Met basilicum, citroensap, zwarte olijven en ansjovis werd het stukje brood een verfijnd, smakelijk tussendoortje.

Maar ik geef de voorkeur aan de oorspronkelijke, simpele bruschetta, gemaakt van zondoorstoofd brood, die je zittend buiten op een steen verorbert, met geloken of eigenlijk samengeknepen ogen tegen de blikkerende middagzon.

Wat u er ook aan toevoegt, bedenk wel dat het geheim van bruschetta in de knapperigheid schuilt. Na de bereiding dient de bruschetta direct gegeten te worden.

Verdeel elke snee brood in vier stukken en rooster die aan beide kanten, maar niet te donker. Pel een teen knoflook en wrijf daarmee over het warme brood. Maar eerst moet u de kern uit de knoflook verwijderen; die is niet smakelijk. (Dat moet eigenlijk altijd bij knoflook.) Het brood laten afkoelen op een rooster.

Hak en plet de overige knoflook samen met een snufje zout. Maak kleine blokjes van de tomaten.

Meng de tomaat en de knoflook, doe er wat citroensap en een

beetje olie bij; leg op elk stuk geroosterd brood wat van dit mengsel. Opdienen op een grote platte schaal, en versieren met verse basilicumblaadjes en -bloemetjes.

PLATTE PIZZA MET ZONGEDROOGDE TOMATEN EN VIS
Pizza ya flat na nyana ile dry na samaki ya mukebe

pizzadeeg • ontvelde rijpe tomaten, in plakjes gesneden, en fijngehakte zongedroogde tomaten • ansjovis • knoflook • rucola • olijfolie • snippers pittige kaas, en geraspte parmezaanse kaas • zout • zwarte olijven (facultatief) • pepertjes (facultatief)

Verdeel het deeg in twee helften en rol die in een heel dunne laag uit. Op de ene helft legt u de gehakte of in stukken gesneden ingrediënten; als laatste het rucolablad en de kaas. Met een fijn straaltje olie besprenkelen en de andere deeghelft erbovenop leggen; de randen zorgvuldig dichtmaken. Prik met een vork gaten in de bovenkant van de pizza om opzwellen te voorkomen; bestrijk hem met de olie en strooi er een snufje zeezout over. Bak hem gedurende enige minuten in een hete, bij voorkeur op hout gestookte, oven. De nog warme pizza in vierkante stukken snijden en onmiddellijk opdienen, met een frisse salade van rucola en venkel.

GEBAKKEN PIZZA OP SIMONS MANIER
Pizza fritta ile ya Simon

brooddeeg • goed rijpe, vlezige tomaten, in stukjes gesneden • basilicum en oregano • zachte cheddar (of gorgonzola), in blokjes gesneden • olijfolie (extra vergine) • olie om te frituren • peper en zout • ansjovis (facultatief)

Snijd de tomaten in stukken, verwijder het vocht met de zaadjes. Voeg de kaasblokjes toe, de in stukjes gesneden ansjovis, een snufje oregano, een paar gehakte verse basilicumblaadjes en een theelepel extra vergine olie. Naar smaak zout en peper toevoegen.

Rol het brooddeeg uit in een heel dunne laag, zoals bij een gewone pizza. Steek daar rondjes uit ongeveer ter grootte van een schoteltje van een theekopje. Leg een deel van het tomaten-kruidenmengsel in het midden van elk rondje en vouw dat dubbel tot een bolle *calzone*. Bak de calzones in kokendhete olie, laat ze uitdruipen op keukenpapier en dien ze onmiddellijk op, met een frisse rucolasalade.

Voor de variatie een andere vulling: ontpitte zwarte olijven, kappertjes, ansjovis en knoflook.

U kunt de kruiden ook helemaal weglaten en de tomaten vervangen door stukjes ham of spinazie met hardgekookt ei, of fijngesneden paddestoelen, die u bakt met knoflook.

Dit type calzone is erg handig bij het picknicken, want je kunt ze als een broodje eten en hebt dan geen bestek en borden nodig.

SOEP VAN VIS-MET-POOTJES
Supu ya samaki ya mugu

levende rivierkreeftjes, die minstens een week in schoon water hebben gelegen, om modder en eventuele etensresten kwijt te raken • 1 groot blik gepelde tomaten, of 1 kilo gepelde rijpe tomaten (dompel de tomaten een paar minuten in heet water; dan laat de schil gemakkelijk los) • gesnipperde ui • knoflook • peterselie • enkele gehakte selderijstengels, inclusief het blad • 1 fles droge witte wijn • dilleblad • venkelzaad • olijfolie (extra vergine) • water voor de fumet • een scheut whisky • zure room • tabasco • peper en zout

Kook de kreeftjes met heel veel dilleblad in een mengsel van half water, half wijn. Laat ze uitlekken en pel ze.

Stamp de pantsertjes in een vijzel fijn tot een brij. Voeg die bij het kookvocht van de kreeftjes evenals de tomaten, ui, knoflook, selderij, peterselie, het venkelzaad en de overige kruiden. Laat de fumet gedurende twee uur koken. Filter hem dan, giet er de rest van de wijn bij, een eetlepel extra vergine olie en de whisky. Proef of er nog peper en zout bij moet.

Tenslotte de gekookte rivierkreeftjes erbij doen, met een scheut tabasco en een beetje zure room.

Opdienen met croutons, gebakken in met knoflook gekruide olie.

VIS-MET-POOTJES À LA KUKI IN BANANENBLAD
Samaki ya mugu na matawe ya banana

gepelde rivierkreeftjes • boter • versgemalen peper en zout
Gelijke hoeveelheden: *uitgeperste knoflook • geraspte limoenschil • verse*
gember, geraspt • gehakte kaffirblaadjes • koriander • limoensap
Als garnering: *in vierkantjes gesneden bananenblad, en acaciadoornen om de*
bladeren vast te steken. U kunt ook grote slabladeren gebruiken en die
dichtmaken met houten prikkers

Breng de kreeftjes op smaak in warme boter met peper en zout en
neem ze na een paar minuten uit de pan. Voeg alle ingrediënten bij de
boter, behalve het limoensap. Schik de kreeftjes op de bananenblade-
ren, doe er wat limoensap bij en wat geurig boternat. Maak een pakketje van de bladeren en steek het vast met de doornen of de prikkers.
Plaats de pakketjes een paar minuten in de warme oven vóór u ze opdient.

RISOTTO MET VIS-MET-POOTJES
Muchere na samaki ya mugu

rivierkreeftjes • fumet van geplette kreeftenpantsertjes, knoflook, flink wat
selderij en droge witte wijn • gepelde Arboriorijst • olie • knoflook • peterselie
• een halve citroen • droge witte wijn • verse peterselie • een scheut cognac
• peper

Fruit de knoflook en de peterselie in de olie.
    Voeg de helft van de gepelde, geblancheerde kreeftjes toe. Roer er
de rijst en de wijn door. Wanneer de wijn is verdampt, giet u de fumet
(uit het recept voor vissoep) er met kleine scheutjes tegelijk bij.
    Als de rijst bijna gaar is, gaat de rest van de kreeftjes erbij. Doe het
vuur uit en roer tot een smeuïge brij ontstaat. Voeg peper toe, een
beetje citroensap en de cognac. Dan de peterselie erover strooien en
opdienen.

VIS-MET-POOTJES ONDER EEN KORSTJE
Samaki ya mugu na chapati na pombe na jibini

gepelde rivierkreeftjes • fumet van geplette kreeftenpantsertjes, knoflook, flink wat selderij en droge witte wijn • bechamelsaus, gemaakt van de fumet, magere melk en een scheut sherry • verse paddestoelen • gedroogd eekhoorntjesbrood • geraspte parmezaanse kaas of gruyère • een scheut cognac • boter, paneermeel, peper

Breng de kreeftjes op smaak in de warme boter en voeg er wat bechamelsaus aan toe. Het benodigde aantal ovenschaaltjes invetten en met paneermeel bestrooien. Leg de kreeftjes in de schaaltjes, met de paddestoelen en de rest van de bechamelsaus, waarin u een scheut cognac hebt gedaan. Afdekken met een mengsel van geraspte kaas en paneermeel, peper erover strooien en de schaaltjes in de oven zetten tot er een goudkleurig korstje op verschijnt. Opdienen met een selderijvenkelsalade en pilav.

GEROOKTE TILAPIA MET KRUIDEN EN OUZOAROMA
Tilapia ya moshi na majani ya arufu ya uzo

1 middelgrote tilapia per persoon, of een forel van dezelfde afmetingen • een kruidenboeketje: dille, tijm en rozemarijn • limoenen • zout
Voor de dilleboter: *verse boter • 1 eetlepel zure room • een paar druppels citroensap • een klein beetje (Engelse) mosterd • gehakte verse dille*
Als garnering: *een snufje dillezaad • 1 vers slablad voor elke vis*

Maak eerst de dilleboter.

Meng alle ingrediënten door elkaar, behalve het dillezaad. Zet het mengsel voorlopig in een kommetje op een koele plaats.

Leg de schoongemaakte en met de fijngehakte kruiden gevulde tilapia's op het rooster van het rookoventje, en bestrooi ze met zout.

Spreid een dunne laag cederzaagsel uit op de bodem van het oventje en doe het dicht. De vis is in 20 minuten klaar. Open het oventje pas als het goed is afgekoeld.

Leg elke vis op een vers slablad en versier het gerecht met verse dille, een schijfje limoen en een krul dilleboter, waarop u een snufje dillezaad en een blaadje dille legt.

TILAPIAFILETS MET GRASGROENE SAUS
Salala ya tilapia na sossi ya rangi ya majani

filet van tilapia of tong • *citroensap* • *knoflook* • *olie om te frituren* • *bloem*
• *bier* • *1 eiwit* • *kappertjes, peterselie en partjes citroen* • *peper en zout*
Voor de groene saus *(grasgroene saus – sossi rangi ya majani)*: Griekse yoghurt
• *kappertjes* • *peterselie*

Voor de groene saus hakt u de kappertjes en de peterselie fijn. Roer ze voorzichtig door de yoghurt.

Maak een beslag van bloem, bier, eiwit, peper en zout.

Wrijf de tilapiafilets in met een geurig mengsel van citroensap en fijngehakte knoflook; dompel ze in het beslag en bak ze mooi goudbruin.

Bestrooi ze met verse kappertjes en garneer de dienschaal met peterselie en partjes citroen. Geef iedere gast een eigen schaaltje met groene saus om de vis in te dopen.

VIS UIT HET TURKANAMEER, EERST GEBAKKEN EN DAARNA GEMARINEERD
Salala ya samaki ya Turkana ya fri

nijlbaarsfilets, of kabeljauwfilets • *rode uien* • *sultanarozijnen en*
pijnboompitten • *rozemarijnblaadjes* • *bakolie* • *1 eetlepel bloem, op smaak*
gebracht met peper en zout • *witte wijnazijn*

Snijd de filets aan reepjes ongeveer ter grootte van een vinger, en wentel ze door de bloem. Snijd de rode uien in ringen. Verhit de olie en bak de uienringen snel tot ze mooi goudbruin zijn, maar laat ze niet aanbranden! Laat de ringen uitlekken en zet ze apart. Bak in dezelfde olie de met bloem bedekte visreepjes. Leg ze op een bord met daaroverheen de uienringen. Schep de rozijnen, pijnboompitten en roze-

199

marijnblaadjes enige seconden door de kokendhete olie en doe ze bij de vis.

Ondertussen brengt u de azijn aan de kook. Die giet u over de vis, die er helemaal door bedekt moet zijn. Weldra is de azijn in de vis getrokken. Dit is een verrukkelijk gerecht waar een frisse venkelsalade uitstekend bij smaakt, of een salade van zachte, in smalle reepjes gesneden koolbladeren. Dit gerecht blijft een paar dagen goed en hoort koud te worden gegeten.

VIS UIT HET TURKANAMEER OP KUKI'S MANIER
Samaki ya Turkana injia ya Kuki

1 middelgrote nijlbaars (of kabeljauw), van 1 kilo of iets meer • limoensap • sojasaus • olijfolie (extra vergine) • verse korianderblaadjes • uitgeperste knoflook • peper en zout

De vis 1 uur marineren in een mengsel van limoensap, uitgeperste knoflook, koriander, lichte sojasaus, peper en zout. Daarna een paar lepels olie toevoegen en de vis in een matig warme oven plaatsen. Opdienen met sojasaus, nieuwe aardappelen en gegrilde aubergines.

VIS UIT HET MEER VAN ANTONIETTA, VOOR OP REIS
Samaki ya damu ya Antonietta injia ya safari

baarzen • rozemarijn • peper en zout • knoflook (facultatief)

Kies vrij grote verse baarzen, haal de ingewanden eruit, maak ze schoon maar laat de schubben zitten. Vul ze met peper, zout en heel veel rozemarijn en, als u daarvan houdt, wat knoflooktenen. Wikkel de vissen stevig in vochtig papier; u kunt eventueel ook oude kranten gebruiken.

Leg de ingepakte vissen op gloeiende houtskool en doe er ook kooltjes bovenop. Als het papier is verkoold, haalt u het pakketje uit het vuur en gooit het papier weg. De vis is dan goed gaargestoofd in zijn eigen nat en heeft de juiste droogte. Hier smaakt een frisse avoca-dosaus prima bij of een saus van soja en limoen. In plaats van roze-marijn kunt u dille, koriander, kaffirblaadjes en verse gember gebrui-ken. Dit is een uitstekend gerecht en het is ook eenvoudig te bereiden bij het kamperen. In plaats van zoetwaterbaars kunt u grote forellen of zeebaars nemen.

KIP OP DE MANIER VAN MAKENA (ZIJ DIE GLIM-LACHT) MET WILDE HONING
Kuku ya Makena na asali ya mustoni

een halve kip per persoon • 1 volle eetlepel honing per portie • 1 eetlepel extra vergine olijfolie per portie • rozemarijn • 1 sinaasappel per kip • citroensap • versgemalen peper en zout

De stukken kip met citroensap inwrijven. Een marinade maken van alle overige ingrediënten en daarmee het vlees goed insmeren. Laat het dan op een koele plek ten minste twee uur rusten vóór u het gaat bereiden.

Braad de kippen in een matig warme oven en bedruip ze daarbij regelmatig met hun eigen vocht. De kip is in een half uur gaar, maar moet voor een mooie glanzendbruine korst nog wat langer in de oven blijven. Garneren met krullen sinaasappelschil en takjes rozemarijn.

Heel lekker bij dit gerecht zijn bijvoorbeeld: zoetzure uitjes, aard-appelpuree en een frisse salade van kropsla en rucola.

FRANKOLIJNBORST OP POLENTASCHIJVEN
Bresti ya nguare na posho ya roundi

1 frankolijn per persoon, of een grote patrijs of jonge fazant • boter • een scheut cognac • een paar takjes tijm • een paar blaadjes salie • 2 dunne plakken buikspek per frankolijn • een paar schijven instant-polenta (of zachte posho), op smaak gebracht met parmezaanse kaas en een paar druppels truffelolie. Maak de schijven zo groot dat er één vogelborst op past • peper en zout

Wikkel de frankolijnborsten in dunne plakken buikspek en steek takjes tijm in het vlees. Laat de boter met de salie bruinen en bak de frankolijnen tot het buikspek krokant is en het vlees van binnen nog rozig; voeg peper en zout toe. Leg elke frankolijnborst op een polentaschijf. Voeg cognac en een paar klontjes verse boter toe aan het kookfond, verhit dat op een hoog vuur en giet het over de frankolijnen, die u eerst diagonaal in plakken hebt gesneden. Garneer met een takje tijm, opdienen en smullen maar!

GEVULDE FRANKOLIJN, ZONDER BOTJES
Nguare bile ya ngossi na jasa ya vitu

1 frankolijn, ontbeend, per persoon • broodkruim • geraspte parmezaanse kaas • eidooier • nootmuskaat • een kruidenboeketje van salie, rozemarijn, tijm, majoraan, laurierblad • gedroogd eekhoorntjesbrood • champignons, in plakjes gesneden • 1 gehakte ui • de fijngehakte lever van de frankolijn • plakjes buikspek • port en een scheut cognac • bouillon • room, boter • zeezout en peper

Maak de frankolijn schoon en haal met een vlijmscherp mes de botjes eruit door middel van een inkeping over de rug. Kook het eekhoorntjesbrood in de bouillon (eventueel van een bouillonblokje), zeef de bouillon en maak de vulling: giet de hete paddestoelenfumet op het broodkruim; bak de gehakte ui met de lever en de kruiden en strooi er zout en peper over. Meng alles met het geweekte broodkruim, voeg de parmezaanse kaas toe, een snufje nootmuskaat en de eidooier. Vul hiermee de frankolijnen en naai ze met wit keukendraad zó dicht dat het lijkt of ze nog intact zijn, met botjes en al.

Bind de poten samen en wikkel dunne plakken buikspek en wat salieblaadjes om de vleugels. Braad de vogels in een matig warme oven en bedruip ze vaak met boter en port. Let op dat ze niet te gaar worden.

Neem de frankolijnen uit de ovenschaal, voeg de room en de scheut cognac bij het kookfond. Geef deze – goed hete – saus er apart bij. Bak dan de champignons en het inmiddels zachte eekhoorntjesbrood in de boter en dien de frankolijnen op in een 'nestje' van paddestoelen.

Dit gerecht gaat heel goed samen met een luchtige artisjokkenpuree of met een spinazieflan. Nog lekkerder wordt het in combinatie met kleine kaas-griesmeelpuddinkjes die u met paddestoelen garneert en met saus overgiet.

Dit is een rijk gebraad en heel geschikt voor een feestelijke gelegenheid.

PATÉ VAN PARELHOEN
Pate ya khanga

1 parelhoen (of een fazant) die u een week heeft laten besterven, ontdaan van de botten, ontveld en in stukken gesneden • boter • 1 eidooier • rode wijn • salie • knoflook • fijngehakte witte ui • 1 laurierblad • kruidnagelen • de lever van het parelhoen, in stukjes gehakt • blaadjes kropsla • jeneverbessen • port • cognac • gelatine • azijn • peper en zout

Voor de cognacboter roert u de eidooier door de verse boter en voegt u er cognac naar smaak aan toe. Laat dit mengsel koud worden in boterbordjes, voor iedere disgenoot een.

Gedurende één dag de stukken parelhoen marineren in een mengsel van droge rode wijn, op smaak gebracht met ui, knoflook, kruidnagelen, jeneverbes, laurier, zout en peper. Goed uit laten lekken en het marinadevocht bewaren.

Fruit de ui in de boter met wat salie. Doe de stukken parelhoen erbij en laat ze goudbruin worden. Voeg dan de stukjes lever toe en laat alles een paar minuten op hoog vuur bakken. Schenk daarna het marinadevocht bij het kookfond en laat het verdampen.

Hak het vlees in stukken en voeg een gedeelte van het kookfond toe. Weeg het vlees en doe er een zelfde gewicht aan verse boter bij. Als u de paté romiger wilt hebben doet u er nog wat meer boter bij.

Los de gelatine op in warm water met azijn en port, voeg zout naar smaak toe, en laat afkoelen. Van dit mengsel doet u een klein gedeelte bij het gehakte vlees en de boter. Dan gaat de cognac er nog bij, en tenslotte giet u de paté in eenpersoonsvormpjes. Afdekken met de rest van de gelatine en op laten stijven.

Daarna de vormpjes omkeren op borden, die u met slabladeren kunt versieren. Opdienen met croutons en cognacboter.

PAOLO'S PARELHOEN, MET RIJST EN GELE SAUS
Khanga na muchere ile ya Paulo

1 parelhoen of een fazant • 1 kapoen, of vlees met been, om bouillon te trekken • selderij • wortels • ui • magere melk • maïsmeel • boter • 3 eidooiers • citroensap, sherry

Het is aan te bevelen dit gerecht te combineren met risotto, bereid met witte wijn.

Voor de bouillon doet u de groenten en het vlees in een pan koud water. Zodra de bouillon kookt, doet u het parelhoen erbij. Laten koken tot het vlees boterzacht is. Dan verwijdert u de botjes en het vel en gaat het parelhoen terug in de warme bouillon tot het moment van opdienen.

Maak ondertussen een risotto met witte wijn. Als die gaar is roert u er een flinke hoeveelheid parmezaanse kaas en versgemalen zwarte peper door.

Voor de gele saus vermengt u de verse boter met een eetlepel maïsmeel, wat magere melk en de bouillon; er ontstaat dan een heel dunne bechamelsaus die naar consommé smaakt. Voeg dan een voor een de eidooiers toe en daarna het citroensap. De saus krijgt dan een mooie gele kleur.

Doe de risotto in een dienschaal, leg daar de stukken parelhoen bovenop en bedek alles met de gele saus.

Onmiddellijk serveren. Geef daarbij een soepterrine consommé met een scheutje sherry.

OMELETSOEP VAN OMA
Supu ya consome na omelette ya jojo

consommé van parelhoen • eieren • parmezaanse kaas • gehakte peterselie • sherry • peper en zout

Mijn oma in Italië was dol op deze heerlijke soep.

Klop de eieren los met de parmezaanse kaas, de peterselie, en peper en zout. Bak flinterdunne omeletjes (1 eetlepel eimengsel is genoeg voor 1 omeletje). Zodra de omeletjes zijn afgekoeld rolt u ze op en snijdt ze vervolgens in fijne reepjes. Verdeel ze over de soepkommen en giet er de kokendhete consommé over en een scheut sherry.

Rasp er parmezaanse kaas overheen.

HAAS, GESTOOFD IN GEURIGE MARINADE, MET POLENTA

Nyama ya sungura naiva ya kutosha na arufu minghi na posho

1 à 2 wilde Afrikaanse konijnen (sungura) of een grote haas, in kleine stukken gesneden op de gewrichten
Voor de marinade: *rode wijn* • *gesnipperde ui, wortels en selderij* • *jeneverbessen* • *hele peperkorrels* • *1 ui, bestoken met kruidnagelen* • *salie* • *rozemarijn* • *maïsolie* • *zout*

Marineer de stukken vlees minstens twee dagen en keer ze regelmatig om. Laat ze daarna uitlekken, zeef het marinadevocht en bewaar het.

Verhit de olie en bak de stukken konijn goudbruin. Voeg de verse ui, wortels en selderij toe en bedek alles met het vocht van de marinade. Gedurende 2 uur zachtjes laten pruttelen, óf tot het vlees van de botten loslaat en de saus goed is ingedikt. Opdienen met polenta of posho en paddestoelen.

KONIJNROLLADE MET ROZEMARIJN

Sungura bile ya mafupa na arufu ya rosemary

1 klein, jong konijn, ontbeend • *konijnorgaanvlees en worst, in stukjes gesneden en gehakken* • *droge witte wijn* • *salie* • *tijm* • *rozemarijn* • *knoflook* • *paneermeel* • *olie* • *peper en zout*

Snijd het konijn open, kruid het met peper en zout en strooi er paneermeel over.

Maak een mengsel van fijngestampte salie, rozemarijn, tijm en knoflook. Strooi dit kruidenmengsel over het konijn en bedek het met een laag gehakt orgaanvlees. Bind het met dun wit keukendraad op als een rollade. Strooi er paneermeel over.

Braad het op hoog vuur aan in de olie. Besprenkel het royaal met wijn en temper het vuur.

Als het vlees mooi bruin is geworden wikkelt u het in aluminium-folie en zet het ongeveer 1 uur of langer in de oven, tot het gaar is. Af laten koelen, in plakken snijden en opdienen op een bedje van frisse rucola, gegarneerd met rozemarijn.

BUFFELFILET MET KRUIDENBOTER
Salala na siagi ya majani

filet van jonge buffel (mbogo), eventueel van een kalf, in dikke plakken gesneden
• majoraan, tijm en peterselie • mosterd • boter • olijfolie (extra vergine)
• knoflookzout en peper

Meng de mosterd door de boter en voeg een snufje gehakte tijm toe.

Bedek de plakken vlees met een mengsel van fijngehakte geurige kruiden, olie, knoflookzout en peper.

Rooster ze aan beide zijden op een voorverwarmde grill (5 minu-ten de ene en 3 minuten de andere kant).

Garneer vervolgens elke plak met een krul mosterdboter en dien ze onmiddellijk op, met een salade van rucola, aardappels en rode bonen.

BUFFELSTOOFPOT MET POLENTA
Stiu ya mbogo na ugali

sucadelap van buffel of rund, in stukjes • een halve kilo gehakte bleekselderij,
wortels en uien • tijm, salie, rozemarijn • rode wijn • 4 grote knoflooktenen
• olie • een scheut cognac • peper en zout

Bak de knoflooktenen bruin in de olie, haal ze uit de pan en laat dan het vlees goudbruin worden. Voeg alle gehakte groenten en kruiden toe, en fruit alles enkele minuten. Zodra de groenten zacht zijn, strooit u peper en zout bij het gerecht. Dan bedekt u het met rode wijn en laat vervolgens alles gedurende anderhalf uur zachtjes sudderen. De wijn moet helemaal verdampt zijn. Afblussen met een scheut cognac.

U dient dit vleesgerecht op met een luchtige *posho*, aangemaakt met knoflookolie. Nog lekkerder hierbij is een polenta, afgemaakt met knoflookolie en wat gloeiendheet kookfond, die u op een platte schaal serveert.

GEBRADEN ELANDANTILOPE MET BROODKRUIM
Nyama roasti ya siruai na mukate chop chop

een flink stuk muis van de elandantilope • geraspt en vervolgens gezeefd wittebroodkruim • 1 witte ui • een halve citroen • een halve fles droge witte wijn • maïsolie, bouillon • peper en zout

Het vlees van de elandantilope heeft praktisch geen vet en bevat daarom geen cholesterol. Het is licht verteerbaar en heeft een enigszins aromatische geur dankzij de kruiden waarmee het dier zich voedt. Het beste vlees is afkomstig van een antilope die de nacht tevoren door een leeuw is gedood en 's morgens vroeg wordt gevonden, voordat de hyena's het karkas op het spoor komen.

Een leeuw eet meestal eerst de ingewanden.

Snijd de muis onmiddellijk af en laat die 2 dagen besterven in het koelste deel van de keuken; liefst in een vliegenkastje zodat er geen nieuwsgierige katten bij kunnen.

Europese lezers kunnen voor dit recept rundvlees gebruiken. Dat moet dan wel afkomstig zijn van een pasgeslachte jonge koe, liefst van eentje die in vrijheid is opgegroeid. Een uitstekende vervanging zou het vlees van het Aberdeen Angus-rund kunnen zijn, ook al is dat roder en heeft het een meer uitgesproken smaak.

Dit was een van de lievelingsgerechten van mijn moeder. Het moet eigenlijk van een flink stuk muis worden bereid maar smaakt helemaal voortreffelijk als u daarvoor de muis van een jonge elandantilope neemt.

Het geheim van een goed resultaat zit hem hierin dat u het vlees goed bakt maar niet laat uitdrogen; het moet vanbinnen nog roze van kleur zijn. Het beste alternatief voor elandantilopevlees is de muis van een kalf.

Omwikkel het stuk muis stevig met wit keukendraad, zodat het zijn vorm behoudt. Wentel het vlees daarna door het broodkruim totdat het aan alle kanten is bedekt.

Verhit dan in een ovenschaal de olie, en fruit de gesneden ui; die moet goudkleurig zijn maar niet bruin. Doe dan de muis erbij, en de halve citroen. Bak het vlees aan alle kanten bruin. Pas op dat u bij het omdraaien de korst van broodkruim niet beschadigt. Neem ui en citroen uit de pan en bewaar ze.

Giet de helft van de witte wijn in de schaal en laat het vlees in een matig warme oven verder gaar worden. Voeg zonodig een paar eetlepels hete bouillon toe en begiet het vlees regelmatig met het kookvocht. Vijftien minuten vóór u het gerecht uit de oven neemt, doet u de rest van de wijn en de gezeefde ui erbij, en daarna peper en zout. Zorgvuldig het gekarameliseerde kookfond losmaken en hiermee het vlees bedruipen.

Vervolgens snijdt u het vlees – dat gaar moet zijn maar er vanbinnen roze (niet grijs) dient uit te zien – en bedekt u de plakken met het geurige, smakelijke kookfond.

Dit lijkt zo'n eenvoudig gerecht maar het is een koningsmaal. U moet trouwens wel heel goed opletten dat u het broodkruim niet laat aanbranden of het vlees te droog laat worden.

Dit vleesgerecht is goed te combineren met drie van de onderstaande bijgerechten:

- gekarameliseerde uitjes
- gestoofde honingzwammen
- aardappelpuree
- gekarameliseerde wortels
- spinaziepuree
- gestoofde spruitjes
plus een frisse salade van kropsla en radijs.

ANTILOPEFILET OP KUKI'S MANIER
Salala à la Kuki

1 verse filet van elandantilope of rund, stevig omwikkeld met binddraad • *boter en extra vergine olijfolie* • *1 vol glas citroensap* • *een flinke pluk verse rozemarijn* • *groene olijven zonder pit, als garnering* • *rozemarijnfocaccia* • *peper en zout*

Laat de boter smelten samen met de rozemarijn in een ovenschaal die groot genoeg is voor de antilopefilet.

Leg de filet in de schaal en braad hem aan alle kanten goudbruin maar pas op dat u niet in het vlees prikt. Er moet een korst op komen. Dan zout toevoegen, het sap van de citroen erbij gieten en het vlees uit de schaal nemen. Het citroensap dient om al de korstjes van de bodem los te maken. Zonodig meer citroensap gebruiken; de verkregen saus bewaren.

Plaats een groot deksel boven op de filet en daar weer bovenop een steen of ander zwaar voorwerp. Laat het vlees afkoelen.

Snijd het vlees vervolgens in dunne plakken en leg die op een dienschaal. Garneer met rozemarijn en groene olijven, en voeg een klein scheutje olijfolie en versgemalen peper toe. Opdienen met citroensaus en – liefst zelfgebakken – rozemarijnfocaccia.

FILET MET GROENE PEPER OP DE MANIER VAN DIKKIE MANTOVANI
Salala ingia ya rafiki ya mama

1 verse filet • *groene peper* • *sap van 10 citroenen* • *olijfolie* • *rozemarijn* • *peper en zout*

Laat de filet een dag tevoren op een koele plek marineren met alle ingrediënten. Zet de oven op de hoogste stand en braad de stevig samengebonden filet gedurende een half uur, óf totdat het vlees vanbinnen dieproze is. Snijd de filet in plakken en serveer ze bestrooid met groene peper. Geef daarbij de zomergroenten van vriendin Marisa.

HONINGBEIGNETS
Mandazi na asali

brooddeeg • *ricotta* • *mengsel van gehakte amandelen en pistachenoten*
• *vanille* • *gekonfijte sinaasappelschil* • *honing* • *olie om in te frituren*

Rol het deeg uit en steek er rondjes uit met een ronde deegsteker.

Meng de gekonfijte sinaasappel, de honing, enkele druppels vanille-essence en een klein beetje amandel-pistachemengsel door de ricotta en bedek daarmee de deegrondjes. Maak er kleine calzoni van door de rondjes dicht te maken en bak die snel in de kokendhete olie.

Giet warme honing over de beignets, bestrooi ze met de rest van het amandel-pistachemengsel en dien ze meteen op.

Versier met een paar sinaasappelpartjes.

FLENSJES MET WARME HONING
Pancakes na asali moto

melk • *gezeefde bloem* • *boter* • *1 ei* • *warme honing* • *mascarpone*
• *kardemom*

Dit is een variatie op het vorige recept.

Smelt de boter en meng die in de mixer met de bloem, de melk en het ei. Voeg een paar druppels kardemomessence toe en laat een poosje staan.

Verhit een koekenpan met dikke bodem, vet die in met een klontje boter dat u in een gaasje hebt gewikkeld en bak dan dunne flensjes. Voor elk flensje is 1 eetlepel beslag voldoende.

Voor de vulling gebruikt u een mengsel van mascarpone, kardemomessence en honing. Giet daarna warme honing, aangelengd met een heel klein beetje kokend water, over de flensjes en dien ze onmiddellijk op. Geef er als saus wat romige kokosmelk bij.

HONINGIJS MET AUSTRALISCHE MACADAMIA-NOTEN
Ais ya asali na macadamia

room • melk • 1 ei • vanille • een snufje zout • honing
Voor het krokante strooisel: *Australische macadamianoten • azijn • rietsuiker*

Klop de room samen met de melk, de vanille-essence, het ei en een snufje zout en doe dit mengsel in de ijsmachine.

Meng de grof gehakte noten door de rietsuiker die met een paar druppels azijn aan de kook is gebracht. Zodra dit mengsel is afgekoeld verkruimelt u het. Houd dit strooisel apart.

Als het ijs vaster begint te worden doet u er wat van het krokante strooisel bij en vlak voor het helemaal hard is nog een straaltje afgekoelde, gesmolten honing.

Doe nog wat strooisel over het ijs, versier het met een paar hele noten en dien het op.

JAM VAN DE VRUCHTEN VAN DE WILDE JASMIJN
Lemuria jam

De vruchten van de lemuria lijken een beetje op bosbessen; hun smaak doet denken aan een mengsel van bosbessen en bramen, met een heel lichte nasmaak van frambozen.

De jam wordt op de traditionele manier bereid.

Was de bessen en laat ze uitlekken, kneus ze vervolgens – maar wel voorzichtig: het moet geen brij worden – met een heel schone, houten lepel die alleen voor jam en geleis wordt gebruikt.*

Daarna schenkt u water bij de bessen tot ze onderstaan, en laat ze pruttelen tot ze zacht zijn. Druk ze vervolgens door een zeef, zodat

---

* Snijplanken en lepels van hout nemen geuren en smaken op. Op culinair gebied is er nauwelijks iets zo erg als het gebruik van dezelfde snijplank voor zowel uien als fruit, of dezelfde houten lepel om in hartige gerechten en in jams en geleis te roeren. Een zweempje uiensmaak in een jam of pudding doet alle culinaire inspanningen teniet.

pitten en schillen achterblijven. Als u jam maakt in plaats van gelei moet u de helft van de pitten- en schillenprut bewaren om die later bij de bessenpuree te doen. Weeg daarna de dikke rode puree samen met het kooksap en vermeng dit met driekwart van het gewicht van puree en sap aan suiker. De achtergehouden pitten en schillen gaan in een zakje van mousseline of gaas (dan kunt u ze gemakkelijker uit de pan halen) en dat bundeltje bindt u aan een houten lepel die u in de vloeistof zet. Alles moet goed koken en flink pruttelen. Daarom is een groot schort erg handig en verder is het uitkijken geblazen als u in de buurt van de pan komt om te controleren en te roeren: het mengsel is namelijk erg heet en de bubbels willen nog wel eens ontploffen (zoals altijd het geval is bij jam) zodat gloeiendhete projectielen op gezicht, armen en kleding worden afgevuurd.

Kook de confituur totdat deze zo dik is dat een druppel die u op een bord laat vallen bijna onmiddellijk stolt. Voordat u de confituur van het vuur haalt voegt u het citroensap toe om de buitensporig zoete smaak te corrigeren.

Als u liever jam hebt, voegt u halverwege het kookproces een handvol gekneusde pitten en bessen toe, en houdt u het mengsel vloeibaarder door het toevoegen van voldoende water. Zo ontstaat een stroperige in plaats van een geleiachtige substantie.

SAUS VAN WILDE-JASMIJNGELEI
Lemuria jelly sosi

bessen • suiker • water • citroensap • een zakje van gaas met wat gekneusde bessen en pitten • of kant-en-klare jasmijngelei

Bereid de jasmijngelei als beschreven in het vorige recept. Voor de saus verdunt u een voldoende hoeveelheid gelei in warm water. Verwarm dit au bain marie, en roer voorzichtig tot alles is opgelost. Laat het mengsel langzaam opstijven tot de gewenste dikte. Als u de saus wilt geven bij kokosijs of een vanillepudding voegt u er nog een half glas zoete vruchtenbrandy of frambozenlikeur aan toe. Als de saus bij wild wordt gebruikt (hij smaakt bijzonder goed bij geroosterde gazellen- of hertenbout) voegt u een flink glas oude calvados toe.

Vergeet niet een paar takjes en bladeren van de jasmijn apart te houden om de dienschaal en de sauskom mee te versieren. Verse bessen en bloemen staan prachtig op of rondom een dessert.

AVOCADO-SABAYON
Avocado ya sukari na nat

1 rijpe avocado • een paar druppels citroensap • room • basterdsuiker • zoete sherry • geroosterde en gehakte macadamianoten of amandelen

Pureer het avocadovruchtvlees en besprenkel het met wat citroensap. Los de suiker op in de warme sherry en voeg die, samen met de room, bij de puree. Dien de crème op in hoge glazen en strooi er de gehakte amandelen of noten over. In plaats van sherry kunt u amaretto di Saronno gebruiken.

BANANEN VAN SIMON UIT DE OVEN
Banana ya jiko injia ya Simon

rijpe bananen • sinaasappelsap of sap van passievruchten • bruine suiker • boter • kokosmelk • kaneel • kruidnagelen • kardemom • nootmuskaat of foelie • sinaasappelschil • rum

Dompel de bananen onder in het vruchtensap samen met alle kruiderij, bestrooi ze met suiker en laat ze bij kamertemperatuur minstens 2 uur marineren. Daarna uit laten lekken.

Smelt de boter. Bak de bananen in de boter tot ze mooi goudbruin zijn. Haal ze uit de koekenpan en leg ze in een ovenschaal. Zeef het marinadevocht van de bananen, giet het in de koekenpan en laat het verdampen tot het bijna is gekarameliseerd. Verdeel dit dan over de bananen, voeg hier en daar een klontje boter toe en zet de schaal een paar minuten in een warme oven. Doe de suiker en de sinaasappelschil bij de rum, verwarm dit mengsel, giet het over de bananen en steek het vlak voor het opdienen aan. Geef er een saus van kokosmelk bij.

U kunt de bananen ook nog combineren met mango's, of het recept alleen met mango's bereiden.

HET GEHEIM VAN DE DAME MET MACADAMIA-NOTEN
Keki ya chocolate na biscuti

een halve kilo verse, ongezouten boter • 2 grote koppen gezeefde basterdsuiker • 2 eidooiers • vanille-essence naar smaak • 2 koppen cacao, slagroom • 1 pakje biscuits, niet al te fijn verkruimeld • 1 kop geroosterde en gehakte macadamianoten • een half glas anijslikeur of rum (anijs geeft een subtiel, onweerstaanbaar aroma, maar niet iedereen houdt ervan)

Dit is een heerlijk dessert dat altijd lukt. Bovendien kunt u het van tevoren klaarmaken.

Klop de boter met de suiker tot een romige massa. Voeg dan een voor een de eidooiers toe en daarna de vanille. Doe de cacao, de noten en de verkruimelde biscuits erbij en roer alles goed door elkaar. Dan gaat de likeur erbij, waarbij u goed moet opletten dat de biscuit niet helemaal zacht wordt.

Bekleed een cakevorm met aluminiumfolie, doe het mengsel erin en druk het zorgvuldig aan. Laat het dessert minstens één dag in de koelkast staan voor u het opdient.

Haal het 'geheim van de dame' uit de vorm, bedek het volledig met slagroom en garneer het met gekonfijte viooltjes. Snijd het 'geheim' vóór het opdienen in dunne plakken en gebruik als garnering takjes bloeiende jasmijn.

PAPAJA MET DAT RODE FRUIT DAT VOGELS ZO LEKKER VINDEN
Papaia na matunda nyukundu ile ndege napenda

een paar rijpe maar nog stevige papaja's • verse aardbeien • aardbeiengelei • citroensap • suiker

Schil de papaja's, snijd het topje eraf en verwijder de pitten. Giet het citroensap in de papaja's en laat het er meteen weer uit lopen. Maak de gelei volgens het bekende recept, waarbij u flink wat suiker bij de aardbeien doet. Voeg vervolgens de verse aardbeien bij de nog warme gelei en giet het mengsel dan in de papaja's. Zet ze in de koelkast om ijskoud te worden.

Snijd de papaja's vóór het opdienen in dikke plakken. De aardbeiengelei in het midden van elke plak moet goed stijf zijn.

BLOEMENMANGO'S MET GEBRANDE SUIKER
Maembe na sukari choma

een halve mango per persoon; de mango moet goed rijp zijn; kies de soort perzikof appelmango • suiker • geroosterde en gehakte macadamianoten, of amandelen en hazelnoten

Snijd de mango doormidden en verwijder de pit.

Maak met een scherp mesje inkepingen in de vorm van een hekwerkje in het vruchtvlees en zorg daarbij dat u de schil niet beschadigt. Druk stevig op de schil en de mango zodat deze als een bloem opengaat en het vruchtvlees in de vorm van blokjes zichtbaar wordt.

Laat de suiker karameliseren. Voeg een deel van het gehakte notenmengsel toe en roer het door de suiker. Giet dit mengsel onmiddellijk uit over de gehalveerde mango's, bestrooi ze met de overgebleven noten en dien ze vervolgens op.

OMA'S ROOM
Crimi inja ya jojo ya mama

eieren • rietsuiker • melk • vanille • 1 eetlepel maïsmeel • marasquin

Voor een goede banketbakkersroom die dik genoeg is, klopt u de eieren los met de vanille en de suiker. Dan voegt u er 1 eetlepel maïsmeel bij en de warme melk, en laat dit geheel op het vuur staan tot de gewenste dikte is verkregen.

Giet de room in een ruime, ondiepe schaal en laat hem afkoelen. Strooi er rietsuiker over en maak een mes met breed lemmet gloeiendheet boven het vuur. Hiermee brandt u de suiker tot die glazig is en een bruin kleurtje heeft. Giet de marasquin erover en flamberen. Onmiddellijk opdienen.

40-KOFFIEBONENLIKEUR
Pombe ya mbegu ya kahawa harbaini

1 grote sinaasappel • 40 koffiebonen • 40 suikerklontjes • 1 liter wodka 'blue label'

Kies zorgvuldig een geschikte dag. Deze likeur moet namelijk bij afnemende maan worden gemaakt. Bij wassende maan zou het resultaat desastreus zijn! Neem een grote onbeschadigde sinaasappel en prik er 40 gaten in. Stop hem in een grote glazen pot. Doe de koffiebonen erbij en de suiker. Bedek alles met wodka. Laat de pot 40 dagen in het donker staan.

Daarna de vloeistof zeven en proeven. De likeur smaakt uitstekend over ijs, maar consumptie bij volle maan is gevaarlijk.

DANKWOORD

Mijn bijzondere dank gaat uit naar Joy Terekiev van de Uitgeverij Mondadori, wier vertrouwen in mij niet aan het wankelen gebracht kon worden. En ook naar Marco Vigevano, die de Italiaanse versie begeleid heeft: om zijn waakzaam oog, zijn bekwaamheid en zijn gevoel voor humor, om de tijd die we samen besteed hebben om de tekst te herzien, om over gerechten te praten – en ze op te eten –, en omdat hij de reis die de vertaling gemaakt heeft van mijn geadopteerde taal, waarin ik schrijf, naar mijn moedertaal vermakelijk en gedenkwaardig gemaakt heeft. Dit boek is daardoor de aanleiding geworden tot een duurzame vriendschap.

VERKLARENDE WOORDENLIJST

baicoli – droge Venetiaanse koekjes
boma's – omheiningen voor het vee omringd door doornstruiken
buibuis – traditionele zwarte jurken van de moslimvrouwen
bush baby – Afrikaans nachtdiertje, soort lemur
chai – kruidenthee
changaa – een sterke, plaatselijke likeur
Damu ya boma ya Faru – het meer van de omheining van de neus
   hoorn
Damu ya Kiboko ndani ya boma ya Faru – het meer van het nijlpaard
   in de omheining van de neushoorn
eshima – trots, eer
jikos – primitieve houtskoolfornuisjes om op te koken
Kalenjin – stam uit het Riftdal
kikoi – plaatselijke doek, pareo
kiondo – traditionele mand met een lang leren hengsel
koedoes – grote, tamelijk zeldzame antilopen
lelechwa – wilde salie
matatu – plaatselijke taxi
matoke – groene bananen
menanda – omheining waar het vee van het ongedierte bevrijd kan
   worden
moran – jonge krijger
murram – rode, korrelige grond
mutamayo – wilde olijf

mutaragwa – ceder
Nditu – het meisje
panga – snoeimes
posho – plaatselijke polenta
samaki ya mugu – vis-met-pootjes
sufuria – pannen
toto's – kinderen
wasungu – Europeanen, blanken